HISTOIRE DE LA
CHAUSSURE

À TRAVERS
LES ÂGES

Ouvrage réalisé par la Bata Shoe Organisation à l'occasion de son 100e anniversaire,
l'«HISTOIRE DE LA CHAUSSURE À TRAVERS LES ÂGES» a été écrite en hommage aux millions de gens qui, partout dans le
monde, conçoivent, fabriquent et vendent des chaussures ainsi qu'aux millions de personnes qui les portent avec plaisir.

SOMMAIRE

Mule de cuir vert,
Perse du 19e siècle.

Sandales de cuir tissé et
décoré portées par le peuple
Hausa d'Afrique de
l'ouest.

Copyright ©1994 Bata Limited
Tous droits réservés. Cet ouvrage ne doit
en aucun cas être reproduit en tout ou en
partie, de quelque manière que ce soit, sans
autorisation préalable écrite de l'éditeur.

Données canadiennes cataloguées
avant publication
Inscrit sous le titre :
Histoire de la chaussure à travers les âges
ISBN 0-9692076-1-1

1. Chaussures – Histoire
I. Fondation du Musée Bata   II. Bata Industries Ltd.
GT2130.A55 1994   391'.413   C94-930570-7

Achevé d'imprimer en 1994 par
Bata Limited, Toronto, Canada.

Impression en Italie par Sfera Srl.

Deux protège-jambes des
autochtones d'Amérique du
Nord, fin du 19e siècle.

Sabot français du 19ᵉ siècle, sculpté et peint à la main.

Boîte d'ambre en argent, France.

Bottillon blanc en satin matelasse de femme bordé de fourrure.

POURQUOI SE CHAUSSER?

Chaussure en corde de chanvre d'un marin américain (19e siècle) conçue pour éviter à celui qui les porte de glisser sur le pont mouillé et huileux. La corde, même mouillée, reste rugueuse et assure ainsi une meilleure traction.

L'ÊTRE HUMAIN CHAUSSE SON PIED DEPUIS SI
longtemps qu'il est impossible de déterminer exactement d'où venaient les premières chaussures ni de savoir qui en a fabriqué la première paire. Il n'est toutefois pas sorcier de saisir la raison-d'être de l'existence de la chaussure ou de comprendre pourquoi nous en portons toujours. En fait, dame nature a en partie imposé son invention : l'être humain n'étant pourvu ni de sabots comme le cheval, ni de pattes calfeutrées et résisantes comme ceux des chats, l'ingéniosité humaine a conçu la chaussure, moyen de protection de nos pieds fragiles contre le froid, la chaleur ou l'humidité, de même que contre les surfaces inégales ou dangereuses. Mais les chaussures sont également portées pour d'autres raisons. Depuis la nuit des temps, où que ce soit dans le monde, on sait qu'elles ont été symboles de statuts, portées plus précisément par les personnes détenant le pouvoir et faisant preuve d'autorité. Au fil des ans, les chaussures ont perdu leur premier aspect fonctionnel et sont devenues objets d'art, accessoires de mode. Pour nombre de cultures, les chaussures ont été longtemps associées aux pratiques religieuses. Les chaussures, qui ont longtemps répondu à nos besoins de base de bien-être, nous révèlent beaucoup de choses sur l'identité humaine au travers de l'histoire. Qui nous sommes, ce que nous faisons et où nous vivons sont autant d'informations qui peuvent être indirectement transmises par la seule manière d'habiller nos pieds.

▼ Protection et performance se reflètent dans cette botte dont la double paroi de caoutchouc sert d'isolant (1980). Créée pour l'armée américaine postée dans la zone arctique glaciale, ces bottes protègent le pied des froids extrêmes. Elles peuvent également être pressurisées en vol et lors des sauts en parachute.

Cette figurine indienne en bronze date du 20ᵉ siècle et est intitulée «The Thorn Picker».

▲ Ces sandales traduisent le standing et proviennent de la cour royale Ashanti, peuple d'Afrique de l'ouest. Les semelles de cuir sont sculptées en forme de corps humain. Les sandales sont ornées de statuettes en bois recouvertes de feuilles d'or; l'une représentant le roi sur son trône (détail, à gauche); l'autre, ses deux femmes sur un autre trône.

◄ Le Pape Pie VII, Pontife de l'Église catholique romane de 1800 à 1823, portait ces chaussures de velours rouge faites sur mesure aux broderies d'or et au motif en croix.

Ces «chappals» colorées du 20ᵉ siècle servaient à protéger le pied des aspérités du sol des vallées chaudes et sablonneuses de l'Indus au Pakistan. Alors que les semelles en cuir gardent la plante du pied à l'abri de la chaleur, l'arrière étroit et ouvert permet à ceux qui les portent de se débarrasser facilement du sable. Les pompons de laine protègent les orteils. ◄

◄ Adepte de l'esthétisme et de la mode, cette magnifique paire de bottines brodées à la main avec du satin a été créé par Pinet à la fin du 19ᵉ siècle (France).

NOS ANCÊTRES

EN 1991, DES RANDONNEURS DÉCOUVRIRENT près de la frontière italo-autrichienne un homme dont le corps avait été enterré sous un glacier quelque 5 000 années durant. «L'homme des glaces», surnommé Ötzi, était bien conservé et portait encore aux pieds des protections de cuir rembourrées de paille. Des peintures rupestres datant de plus de 15 000 ans, découvertes dans des grottes espagnoles, montrent des hommes dont les pieds sont enveloppés dans des peaux ou des fourrures d'animaux. Nos aïeux s'accommodaient des éléments du mieux qu'ils pouvaient. Afin de se protéger les pieds des températures extrêmes et des terrains rocailleux, les peuples d'antan utilisaient des protections faites d'écorces, de feuilles, d'herbe et de peaux d'animaux. Ces inventions donnèrent naissance aux bottes et aux sandales. Il semble que dans la majorité des civilisations primitives d'Europe, d'Afrique et d'Asie, l'utilisation de chaussures était initialement réservée aux plus puissants et aux plus riches. Même lorsque le port des chaussures se généralisa, elles restèrent un symbole du statut social dans les civilisations qui exigeaient encore que les esclaves marchent pieds nus.

Ces chaussons en cuir de ▲ chevreau ornés d'or marqué à la ponce (ci-dessus) étaient portés par les chrétiens coptes d'Egypte. Le cuir teint en rouge vient d'Afrique du Nord, renommée pour la qualité de son cuir tanné.

▼ Sandales funéraires en peau appelées «ojotas» (ci-dessous), datant de la période péruvienne Tiahuanaco, du 5e au 8e siècle.

Cet imposant pied de bronze, qui porte une sandale particulièrement complexe, est vieux de plus de 20 siècles. La statue date de la Rome Antique où les dirigeants et les militaires de haut rang portaient de telles sandales. ◄

Cette sandale contemporaine, surélevée à l'arrière, est portée sur les haut-plateaux du Chiapas au Mexique. Fait surprenant : elle est quasiment identique à celles qu'utilisaient les Mayas au Mexique et au Guatémala il y a plus de 500 ans.

Cette sandale préhistorique (à droite) était portée par les ancêtres des habitants de l'Arizona (É.-U.) au 14e siècle.

Les sandales étaient portées par les premiers indigènes d'Amérique du Nord. Celles-ci, vieilles de 2 000 ans, sont un exemple de la culture Basket-Maker du sud-ouest des États-Unis; l'avant est orné d'une frange de cuir.

Cette curieuse paire de petits souliers provient de l'ancienne civilisation de Thèbes, installée sur le Nil en Égypte centrale. Ces chaussures, découvertes dans un tombeau royal de plus de 3 000 ans, sont faites de fibre de palmier et d'herbe. Les pointes sont légèrement orientées vers le haut.

L'expression «vieille godasse» prend une dimension toute particulière lorsque l'on regarde ces vieilles sandales égyptiennes en bois, datant de près de 4 500 ans! Elles ont perdu leurs attaches qui étaient probablement faites de papyrus.

Trois fabricants de sandales de l'ancienne Égypte sont représentés sur une peinture murale avec leurs outils.

7

$\mathcal{L}$A SANDALE UNIVERSELLE

Comme l'élevage de bovins est la principale occupation des populations rurales d'Afrique de l'Est, les sandales des Masaïs sont généralement faites de peaux brutes. Cette curieuse sandale se distingue par des bouts carrés à l'avant comme à l'arrière.

Certaines sandales révèlent leur origine géographique de par leur apparence. Celles-ci, en forme de crocodile, viennent sans doute de la région des lagunes du Ghana.

Sandale de Somalie (à droite) conçue pour les déserts. La semelle, faite de couches superposées de cuir, protège le pied de la chaleur tandis que l'avant, légèrement relevé, permet de marcher plus allègrement dans le sable avec un balancement marqué des hanches.

Ces sandales aux bouts carrés et aux semelles épaisses viennent de la région de l'Amazonie en Amérique Latine. Les semelles sont faites de peau de tapir, d'utilisation courante, la corde formant des boucles pour maintenir les orteils et le talon.

Ces sandales concaves en peau brute avec des boucles pour les orteils viennent du peuple des Acholi de l'Ouganda et datent d'environ un siècle. Le cuir a été incisé puis pigmenté, ce qui lui confère ce dessin si coloré.

LES SANDALES SONT SUPPOSÉES AVOIR

été les premières protections pour pieds de *création artisanale*. Elles étaient les premières formes de chaussures portées par les civilisations anciennes telles que celles d'Égypte, de Grèce et de la Rome Antique. Elles sont d'ailleurs prédominantes dans les régions chaudes de l'Afrique, l'Asie et l'Amérique depuis des siècles. Il est vrai que les sandales sont idéales dans ces régions arides car leurs semelles protègent les pieds tout en permettant à l'air de circuler librement.

Au 20e siècle, la sandale est revenue en force en Europe et en Amérique du Nord comme accessoire de mode. Mais le stylisme de base de la sandale reste toujours assez simple : une semelle dure attachée aux pieds par des lanières de toutes sortes. La majorité des sandales sont très pratiques. Leurs semelles peuvent être fabriquées à partir de matériaux tels que du papyrus et des feuilles de palmier dans l'ancienne Égypte, de la peau brute chez les Masaïs en Afrique, du bois en Inde, de la paille de riz en Chine et au Japon, du sisal en Amérique du Sud ou du yucca dans le sud-ouest des États-Unis. Et depuis l'avènement de l'automobile, les pneus en caoutchouc ont aussi souvent servi à la fabrication des semelles dans nombre de pays.

▲ Comme des chaussures en cuir de vache étaient interdites dans la religion hindoue, les sandales indiennes furent fabriquées à partir de bois, d'ivoire ou de métal, comme le sont les trois sandales ci-dessus. On les appelait «padukas», «chakris» ou «kharrows». Le bouton d'orteil en bois qui remonte à plusieurs siècles, en est la principale caractéristique.

▼ Cette sandale suisse à talons hauts, faite de soie et de chevreau, illustre la réapparition des sandales au cours des années 30. Elle est, depuis lors, devenue un article de mode omniprésent dans les garde-robes des femmes.

Ces sandales japonaises du 19e siècle sont en fer. Elles s'attachent avec une corde de chanvre passée dans de petites boucles de fer placées tout autour de la sandale.

▶

Ces sandales de bois ▶ avec échasses ont été très largement portées en Asie et en Afrique. Cette paire, maintenue aux pieds par des lanières de cuir, vient de la frontière pakistano-afghane.

9

LES MOCASSINS

Ces mocassins iroquois illustrent la fabrication classique de ce type de chaussures : un seul morceau de cuir enrobant le pied de la semelle jusque sur le dessus. Cette paire de mocassins en daim décorée de piquants de hérisson date d'environ 200 ans.

LA CHAUSSURE COMMUNEMENT CONNUE sous le nom de «mocassin» est généralement fabriquée à partir d'une seule pièce de matériau et vient d'une lignée très ancienne. Bien avant que les chaussures soient fabriquées à partir de deux éléments différents, il était usuel de les faire d'une seule pièce. Un morceau de cuir enveloppant le pied et remontant sur la cheville faisait normalement l'affaire pour protéger le pied chez nombre de peuples d'Europe, d'Afrique, d'Asie et d'Amérique. Dans l'Europe, ce type de chaussure est appelé «opanke», mot serbe désignant une chaussure. Les «opankes» étaient très populaires dans les régions rurales des Balkans où elles étaient souvent fabriquées par ceux qui les portaient. «Mocassin» est un terme algonquin vieux de plusieurs siècles provenant du nord-est de l'Amérique du Nord et signifiant chaussure à semelle souple. Les «opanke» ont été toujours plus souvent fabriquées avec une semelle de cuir dur alors que les mocassins des peuples autochtones d'Amérique du Nord sont encore faites de semelles souples pour de nombreuses raisons pratiques. De nos jours, le terme «mocassin» désigne une chaussure inspirée de son ancêtre mais dont la semelle en matériau dur peut avoir été fabriquée séparément.

Pour la plupart des autochtones, surtout ceux du Canada, les chaussures de neige étaient essentielles pour les trajets en hiver. Faites d'un cadre en bois et de lacets de cuir de cerf, d'élan ou de caribou, les chaussures de neige nécessitaient des mocassins à semelle souple. Celle illustrée ici (Canada, 19e siècle) est appelée queue de castor.

Ces chaussons de la culture zouloue d'Afrique du Sud sont fabriquées d'une seule pièce de peau et décorées de perles multicolores.

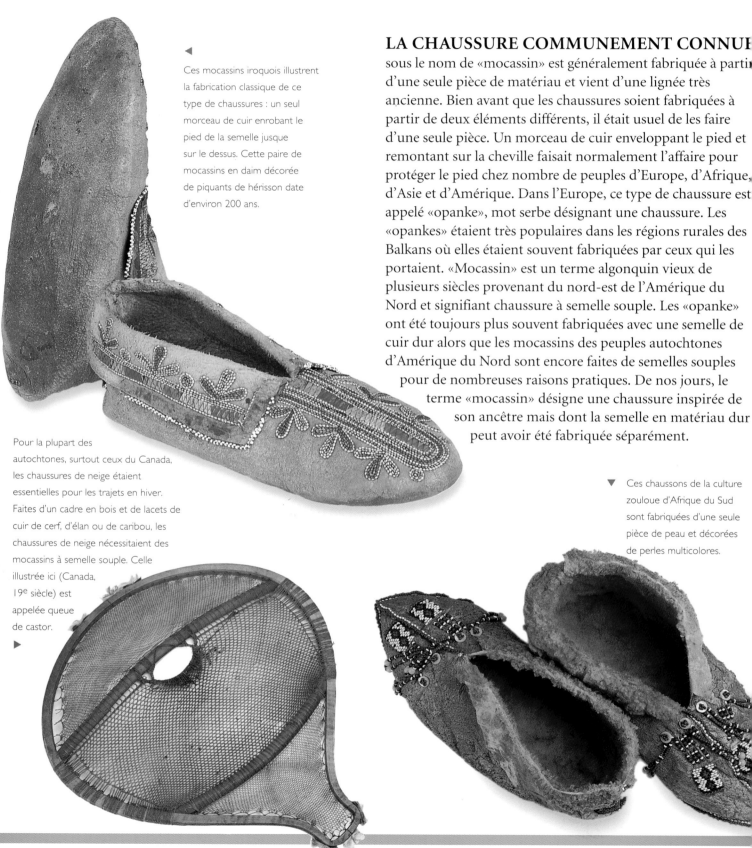

Autre version du mocassin, cette ▶
paire de «wula» qui provient du
nord de la Chine. La
construction diffère
légèrement par la
pièce de cuir
rajoutée sur le
dessus. Faites
de peau de
vache, elles
étaient souvent rembourrées
d'herbes de «wula» pour
protéger du froid durant l'hiver.

Un style de chaussure très
populaire aujourd'hui est ce
type de mocassin dont la
fabrication est basée sur celle
du mocassin traditionnel. Une
seule pièce de cuir est utilisée
bien qu'une semelle solide
ait été rajoutée.

Les mocassins d'une pièce ▶
se retrouvent en Europe tout
comme chez les autochtones
d'Amérique du Nord. Cette
«opanke» vient des Balkans,
montagnes de Roumanie.
Un ancien modèle fait
d'un simple rectangle
est représenté ici,
à gauche.

▼ Ces mocassins en peau de
chevreuil, fabriqués par les
Sioux de l'est dans ce que l'on
appelait les Territoires du
Dakota il y a plus de 100 ans,
ont un tablier fait de rubans.
Les rubans de colons
européens étaient des
articles d'échange très
populaires.

◀ Ce
mocassin
Ojibway, décoré
d'un motif fleuri de
perles, est vieux d'un siècle.
Les Ojibways ont créé des
modèles qui leur sont propres,
tout en y incorporant des
techniques décoratives et des
matériaux européens, comme le
velours, tel que sur ce modèle.

BOTTES DE PROTECTION

La fabrication traditionnelle de bottes par les Inuits d'Alaska permet à cette botte typique de chasseur de l'Alaska, faite en peau de phoque et cousue avec des tendons, d'être parfaitement étanche.

Cette botte en peau de saumon, pourvue d'une semelle préformée en peau de phoque, vient des Yupiks, en Alaska arctique.

Chez certaines tribus inuits, les bottes portent des motifs verticaux pour les hommes et horizontaux pour les femmes.

Ces outils de couture en ivoire et en os viennent d'Alaska et datent des années 1900 (en haut); ce couteau «ulu» (à gauche) est utilisé par les femmes inuits pour décrotter les bottes en cuir.

Un Sibérien inuit anonyme a gravé 18 bottes à l'envers sur cette défense en ivoire dont les semelles sont des plates-formes pour divers personnages. De l'autre côté figurent 15 bottes avec des personnages, des oiseaux et des bateaux.

CERTAINS HISTORIENS SUPPOSENT QUE

les bottes sont originaires de l'Asie Arctique et qu'au fil du temps, elles se sont répandues dans toutes les régions arctiques du globe. De toute évidence, les bottes sont la chaussure traditionnelle des indigènes de la région qui s'étend de l'Asie du Nord à l'Alaska, au nord du Canada, au Groenland, en Laponie et au nord de la Sibérie. Leur rôle principal dans les régions froides est de protéger efficacement les pieds. Les bottes sont souvent aussi des éléments de la vie sociale, comme chez les Inuits, par exemple. Les bottes servant à protéger de la chaleur du désert ou du froid des montagnes se retrouvent dans d'autres parties du monde. La formule de base et la fabrication de la botte n'ont pour ainsi dire pas évolué au fil du temps.

◀ Cette paire de bottes multicolores bordées de feutre a été fabriquée avec de la peau de renne par un Sami finlandais. Les semelles sont revêtues de peau cousue dans différentes directions pour éviter de glisser. Un élément caractéristique est le bout pointu et orienté vers le haut.

Les Aïnous de l'île japonaise de Hokkaïdo portaient des bottes courtes comme celles-ci en peau de saumon dont les semelles étaient couvertes d'écailles de saumon pour éviter de glisser. ▶

Ces bottes de Hausas, ▶ utilisées pour monter à dos de chameau, viennent d'Afrique subsaharienne et datent du début du siècle. Elles sont décorées de cuir tressé. La séparation entre les orteils permettent à celui qui les porte d'agripper une lanière à nœuds. Ces bottes protègent les jambes du soleil, du sable et des irritations.

Ces bottes de laine, dont les bouts sont relevés et les semelles disposées en couches, ont été portées par un officiel tibétain il y a environ un siècle. Étant donné leur état, elles ont dû beaucoup servir. ▶

SOULIERS D'INTÉRIEUR

IL PARAÎTRAIT QUE L'IMPÉRATRICE
Joséphine de France aurait montré un jour à son cordonnier un chausson de danse troué après ne l'avoir porté qu'une seule fois. «Je comprends, Madame», s'exclama-t-il! «Vous avez marché avec!» De toute évidence, la pantoufle est une chaussure très particulière. Portée tant par les hommes que par les femmes, ce chausson d'intérieur comporte une semelle souple et légère. La mule, parfois appelée pantoufle, est une chaussure ouverte à l'arrière qui peut être portée à l'extérieur comme à l'intérieur. Souvent magnifiquement décorées et considérées comme le summum du confort, les pantoufles se retrouvent presque partout depuis des siècles. À l'origine, en Europe et en Amérique du Nord, les pantoufles étaient réservées à l'élite mais la production de masse du 19ᵉ siècle a permis à Monsieur Tout Le Monde de l'enfiler aussi — ce qu'il fait allègrement depuis.

Ces deux pantoufles ▲ italiennes datent du 19ᵉ siècle. Celle pour homme (à gauche) tout comme celle pour femme (à droite), est garnie de broderies florentines en or représentant des fleurs et des feuilles, décorations particulièrement appréciées à l'époque.

Trois exemples de ces ▼ «chaussures d'intérieur» pour hommes, datant du 19ᵉ siècle, plus couramment appelées pantoufles en leur temps. Cet impressionnant travail de couture était régulièrement réalisé à la maison par les femmes pour maris et fils.

▲ Ces mules brodées au fil d'or, datent de la fin du 19ᵉ siècle et proviennent d'Europe; malgré leur apparence assez délicate, elles étaient probablement portées aussi bien à l'extérieur qu'à l'intérieur.

Ces trois mules provenant de l'Europe du 17e siècle sont faites d'étoffes de luxe, avec de fines broderies de soie (à gauche), des lacets d'argent sur velours (au centre) et du brocart de soie chinoise (à droite).

En ce siècle, les mules étaient aussi populaires chez les hommes que chez les femmes.

Au début du 19e siècle, le terme «pantoufle» était généralement utilisé pour désigner de fines chaussures. Ces chaussures de soie aux rubans de soie pour attaches étaient souvent portées pour danser. Elles viennent d'Europe et datent d'environ 1815.

Ces mules décorées de broderies élaborées et de rubans de soie assortis, viennent des États-Unis et datent du milieu du 18e siècle. Il semble qu'elles n'aient jamais été portées à l'extérieur, bien qu'elles aient été conçues à cet effet.

EVENING DRESS.

Engraved for N° 46 New Series of La Belle Assemblee. Feb.ry 1 1813.

Cette illustration de 1813, extraite d'une publication mensuelle anglaise, représente une femme portant les délicates chaussures de soie apparaissant ci-dessus à droite.

CHAUSSURES DE BOIS

LE TERME «SABOT» DÉSIGNE UNE
chaussure faite soit entièrement de bois, soit comportant une semelle de bois à laquelle est attaché par exemple un dessus de pied en cuir, en caoutchouc ou en toile. Pendant plus de 10 siècles, les sabots ont prouvé leur fiabilité et leur durabilité, particulièrement en France, en Belgique et aux Pays-Bas. En fait, jusqu'à la fin du 18e siècle, le sabot était la chaussure la plus répandue en Europe. Bien que les sabots aient été parfois décorés pour être portés lors de grandes occasions, ils sont avant tout une chaussure avantageuse, solide et pratique pour le commun des mortels. Les sabots ont été une chaussure pratique et confortable pour tous, aux quatre coins du monde, toutes générations confondues.

◄ Cette paire de sabots du 19e siècle, peinte en vert et décorée de fleurs rouges, était portée les dimanches et les jours de fête sur l'île de Marken, aux Pays-Bas. La paire française, sur laquelle les orteils sont gravés et peints de manière très réaliste, est un exemple des décorations qui se faisaient à l'époque. ►

▼ Ces sabots traditionnels de Normandie (ci-dessous) étaient portés les jours de fête. Les sabots ont longtemps été portés journellement par la majorité des Français. On rapporte qu'au 18e siècle, les paysans en révolte jetaient leurs sabots dans les engrenages de moulins ou les utilisaient pour perturber des orateurs en faisant du bruit; c'est là que naquit le terme «sabotage», acte destructeur intentionnel.

▲ Il était d'usage d'apposer des semelles de bois aux chaussures en Europe au cours de la Deuxième Guerre mondiale les stocks de cuir étant alors utilisés en majeure partie pour fabriquer des chaussures militaires. Sur cette chaussure d'homme (France, 1944), le bois a été entaillé pour rendre la semelle plus flexible.

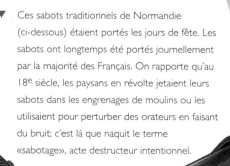

Sculpté dans un seul morceau de bois, ce sabot coréen («namakshin») a été porté par la population rurale de Corée pendant plusieurs siècles. Le stylisme en forme de canoë de ce sabot de bois le rend pratique pour la marche dans un environnement boueux et mouillé. Celui-ci date de la fin du 19ᵉ siècle. ▼

Cette gravure sur bois de l'Allemagne du 19ᵉ siècle (ci-dessous) montre deux sabotiers dans leur atelier. Les outils de fabrication (à droite) comme le ciseau à bois par exemple, viennent des Pays-Bas et datent environ de 1840. ▼

Ces sandales de bois zaïroises appartenaient à un roi Luba du 19ᵉ siècle. Elles sont sculptées pour épouser la forme du pied et des orteils. Les tiges de bois, autour desquelles viennent se resserrer les orteils, représentent des têtes d'hommes et de femmes. ▶

L'un des plus vieux sabots hollandais connus à ce jour a été découvert lors de fouilles à Westerhaven, aux Pays-Bas. Il est exceptionnellement bien conservé si l'on considère qu'il date de plus de 550 ans! ▶

Cet impressionnant sabot afghan date du 19ᵉ siècle. Les bouts de métal sur la partie inférieure assurent ▼ une bonne protection sur sol glacé comme sur sol rocailleux.

Les sabots comportant des semelles de bois et une partie supérieure en cuir étaient appelés «sabots de mineur» en Angleterre et en Irlande. Cette paire est représentative des sabots portés lors de festivités en Angleterre au début du 20ᵉ siècle.

QUOI DE PLUS PRATIQUE?

POUVEZ-VOUS IMAGINER QUELQU'UN capable de couper de la paille ou d'écraser des noix avec ses pieds? En fait, ces tâches peuvent être accomplies grâce à un type spécifique de chaussures. Les chaussures servant d'outil sont des inventions remarquablement fascinantes. C'est ainsi que les chaussures étranges représentées sur ces pages offrent des solutions pratiques aux problèmes de la vie quotidienne. Elles permettent par exemple aux ouvriers de se déplacer en toute sécurité sur un toit glissant ou aux bûcherons de grimper aux arbres. Bien que le nom de leurs inventeurs ait disparu avec le temps ou qu'ils ne fussent jamais connus, ces chaussures vouées à des travaux particuliers sont toujours prisées et restent des témoins fascinants de l'ingéniosité humaine.

Ces sabots de bois servaient à la cueillette des prunes (19ᵉ siècle, France). Les crochets de métal permettaient de grimper aux arbres avec plus d'aisance car ils laissaient les mains libres.

Ce soulier appelé «tageta», planche aux attaches faites de corde ou de cuir, nous vient du Japon. Il permet de se tenir debout avec beaucoup d'assurance dans des rizières mouvantes et boueuses.

Ces souliers japonais, ou «tabis», ressemblent plus à des chaussettes qu'à des chaussures. Leur semelle de caoutchouc souple permet aux ouvriers de se déplacer en toute sécurité sur des toits en pente.

Cette paire de sabots de bois, avec ses tiges de métal de 23 cm (9 po.) de long fixées à la semelle, servait à écraser les châtaignes en Ardèche (France) au cours des années 1800. Le tannin utilisé dans les travaux de tannerie était extrait des châtaignes.

Ces chaussures, faites de ▼
feutre d'une seule pièce,
viennent du Nouveau Pays
de Galles du Sud, en Australie.
La douceur des semelles
protège le mouton lors
de la tonte et
rend le travail
confortable
tant pour l'homme
comme pour
l'animal.

▲ Cette botte des marécages de
Hollande a environ 100 ans.
L'imperméabilité et la solidité
rendaient ce type de
chaussure particulièrement
utile pour ceux travaillant dans
des terrains boueux.

◄ Ces bottes de dur labeur en
cuir solide étaient utilisées
dans la vallée Cowichan en
Colombie-Britannique
(Canada). Les bûcherons les
portaient lors du transport de
troncs d'arbres sur les voies
fluviales. Des clous métalliques
étaient insérés dans les
semelles et les talons pour
éviter les dérapages.

Au début du siècle, en
France, ces sabots de
bois surmontés de
jambières en cuir
étaient utilisés par les
pêcheurs d'anguille.
La combinaison de
cuir, de caoutchouc
et de bois assurait
une isolation
thermique pour la
pêche en eau froide.
◄

▲ Ces sandales japonaises sont très
simplement conçues d'une planchette
de bois, de courroies faites de corde
et de deux lames de fer évidentes, fixées
en dessous. Elles servaient à couper
les tiges de riz après la moisson.

MISSIONS SPÉCIALES

Ces bottes ont des semelles en argent et sont ornées de 81 petits losanges d'argent. Elles étaient portées par les jeunes gens destinés à être sacrifiés au cours des cérémonies Chimu au Pérou, il y plus de 500 ans. ◄

Au premier coup d'oeil, ces sandales d'homme en cuir ont l'air très quelconque, mais ce sont en fait des armes dangereuses, car les clous fixés à leurs semelles peuvent infliger des blessures mortelles. Cette paire de «sandales de duel» vient de Bolivie et date d'environ 1950. ▼

Ces bottes d'acier extraordinaires, appelées sabatons, faisaient partie d'une armure portée par un chevalier du 15e siècle qui habitait ce qui correspond aujourd'hui à l'Allemagne du sud. Les extrémités, longues et pointues, montrent que les tendances de la mode en chaussures s'étendaient même jusqu'à l'équipement militaire. ▼

Ces larges bottes de cuir durci servaient de protection aux guides qui accompagnaient les diligences au 19e siècle en France. Le contenant d'étain pré-chauffé était placé à l'intérieur. ▼

La plupart des aborigènes d'Australie se déplacent pieds nus, excepté les bourreaux «kurdaitchas» qui portaient ces chaussures rituelles faites de plumes d'émeu et de cheveux humains pour masquer leurs empreintes reconnaissables. ►

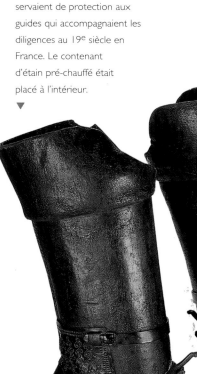

Quand Neil Armstrong devint le premier homme à marcher sur la lune en 1969, il portait des bottes faites de nylon enduit de caoutchouc et de Téflon. Cette botte fut portée par l'astronaute américain Alan Lovell pour le programme d'entraînement Apollo et est la propriété du National Air and Space Museum de Washington D.C.

BIEN QUE LA PLUPART DES CHAUSSURES

soient issues de productions de masse en usines, certaines sont faites sur mesure pour répondre à des besoins spécifiques. On les trouve un peu partout dans le monde, tous siècles confondus, et pour des activités aussi insolites comme celles des preux chevaliers ou des astronautes, sources de chaussures les plus singulières. Certaines ont également été créées pour des événements ou des circonstances particulières. Notons par exemple les bottes couvertes d'argent portées par les victimes sacrifiées chez les Chimus au Pérou ou, plus près de nous, des bottes alourdies portées par un prisonnier d'un état de l'ouest des États-Unis. Ces chaussures ne reflètent peut-être pas le meilleur de l'homme mais elles attestent tout de même son esprit débordant d'invention.

▼ Bien que cette botte de plongée sous-marine paraisse peu pratique, elle remplit sa mission spéciale avec efficacité. La semelle de cuivre et de plomb agit comme ballast pour le plongeur (Grande-Bretagne, 1925).

Ces chaussures de bois hollandaises, connues sous le nom de «sabots de contrebande», laissent une empreinte astucieusement inversée. Ils ont été utilisés après la Deuxième Guerre mondiale pour dérouter les douaniers. En effet, ces sabots servaient à certains à traverser la frontière pour faire des achats lorsque sur place, les prix devenaient prohibitifs et les denrées se faisaient rares.

▶

▶ L'«Oregon boot» fut brevetée en 1860 pour empêcher les prisonniers de s'évader en cours de transfert d'une prison à l'autre, dans l'ouest des É.-U. Elle est faite de cuir, et l'anneau d'acier de 10 kilogrammes (soit 22 livres) qui retient la cheville, ne peut être ouvert qu'à l'aide d'une clé.

▶ Ces bottes à semelle plate et en forme de panier s'appellent des «fundarawa». Elles sont fabriquées à partir de paille de riz et sont traditionnellement utilisées au nord du Japon, pour se faire un passage dans la neige autour des maisons.

OUVREZ LA DANSE

LE TERME «SOULIERS DE DANSE» ENGLOBE toute une gamme d'articles. Mais pour la plupart des gens, le terme semble être limité aux chaussons de ballet ou chaussures de claquettes. Or il désigne une multitude de chaussures allant de la danse classique à la danse moderne, en passant par les danses rituelles comme celles portées par les Hopi Kachina ou «danseurs du diable» de Bolivie. Le terme est plus généralement utilisé pour parler de chaussures réservées à des événements de la vie sociale, qu'il s'agisse de bals costumés ou de fêtes de village. De l'«Allemande» (danse de cour, en France) à la «Zambra» (danse espagnole d'origine maure), les types de danses sont innombrables. Les danses de société ont indubitablement influencé le style de fabrication des chaussures, contribuant, à une époque, à la popularité des souliers de satin à rubans, puis, plus tard, à celle des chaussures en cuir verni.

▶

Ces bottes sont pourvues de guêtres et d'éperons. Elles se portent pour danser la «cueca» (danse nationale du Chili). La botte du danseur masculin, servant à taper du pied, est inspirée de la botte «huaso» des cow-boys.

Ces chaussures de danse ont été faites sur mesure par Herbert Levine Inc. pour Patricia Nixon, épouse du président américain, à l'occasion du bal d'investiture du second mandat de son mari, Richard Nixon, aux É.-U. le 20 janvier 1973.

▶

Les danseurs ont souvent besoin d'un accompagnement rythmique. Ces bracelets métalliques qui servent d'instrument à percussion viennent du Kerala, région du sud de l'Inde. ▶

Le tango, né en Argentine au début des années 1900, fit rage en Europe un peu plus tard. Ces chaussures montantes lacées des années 20 sont françaises et s'appellent des «bottes de tango», leur popularité coïncidant avec celle de la danse.

Trois bottes européennes de danse traditionnelle. Deux de Moravie, en République Tchèque, (à droite) et une de Hongrie (à gauche). La forme accordéon à hauteur de la cheville facilite les mouvements du danseur.

Au cours des danses cérémoniales des Hopi (sud-ouest des É.-U.), les hommes se déguisent en Kachinas, esprits déifiés de leurs ancêtres pouvant apparaître sous diverses formes. Cette botte bleue de Kachina est portée pour la danse du papillon, au printemps, afin d'assurer une récolte fructueuse. La statuette représente un danseur Kachina masqué.

Cette paire de chaussons de danse (au-dessus, à droite), appelés des pointes, a appartenu à la première ballerine Dame Margot Fonteyn, l'une des plus célèbres danseuses étoiles de tous les temps. Le chausson isolé de gauche fut porté par la ballerine canadienne Evelyn Hart. Il paraît qu'une ballerine peut user jusqu'à 65 pointes par mois!

Style de bottes portées par les «danseurs du diable» de Bolivie pour le spectacle qu'ils jouent avant le Carême dans tout le pays.

23

LES SPORTIVES

Les gens ont toujours escaladé les montagnes mais l'alpinisme, en tant que sport, ne date que des années 1850. L'utilisation de crampons est désormais essentielle pour traverser un glacier. Ceux-ci étaient forgés à la main dans un village des Alpes bavaroises en 1930.

LA PRATIQUE DU SPORT EST AUSSI VIEILLE

que l'esprit de compétition. L'organisation de courses à pieds ou à patins remonte à plusieurs siècles. Par contre, l'arrivée sur le marché de chaussures spécifiques à chaque sport est assez récente. Bien qu'elles semblent avoir toujours existé, les chaussures de toile pourvues de semelles de caoutchouc ne sont apparues qu'en 1868 avec les chaussures de croquet. Seules les personnes plus aisées pouvaient s'en offrir. Le nombre des sportifs s'est grandement accru au cours du 20e siècle et a stimulé la création et la production de chaussures de sports. Ces chaussures n'avaient cependant rien à voir avec les modèles lisses et légers que l'on peut acheter actuellement. Depuis quelques années, les nouveautés en la matière sortent des laboratoires à un rythme effréné. Et qui sont les principaux acheteurs de ces articles? En grande partie, la masse pour laquelle pratiquer un sport se limite aux courses effectuées dans un centre commercial. . . Des études prouvent que 90% des gens achètent des chaussures de sport pour la vie de tous les jours et rarement pour une activité sportive!

La Coupe du Monde de Football est l'un des événements sportifs les plus suivis sur la planète. Cette chaussure de football de cuir noir a été fabriquée en Angleterre en 1948.

Ces chaussures de sport du début du siècle étaient probablement portées par un adolescent. Fabriquées aux États-Unis, ces bottes en coton à lacets représentaient déjà une amélioration certaine par rapport aux anciennes chaussures lisses, introduites sur le marché vers le milieu du 19e siècle.

L'époque des «jolies baigneuses» des années 20 a donné naissance aux chaussures de bain de caoutchouc. La paire ci-dessous vient de l'Angleterre, celle de droite, ornée de dessins fantaisie, est américaine.

Les patins à roulettes sont devenus populaires au 19e siècle, année de naissance de cette paire de patins en bois aux États-Unis. Chaque chaussure est pourvue de quatre roues. La longueur inhabituelle de ceux-ci laisserait croire qu'ils étaient utilisés pour la course.

La chaussure de tennis est très populaire, même si ceux qui la portent peuvent très bien ne jamais mettre pied sur un court. Cette paire a appartenue à John McEnroe, l'un des plus grands joueurs. Il l'a portée en 1984 lorsqu'il remporta les championnats de Wimbledon et de l'U.S. Open.

Cette paire de patins à glace américains (de 1860 environ) est faite de divers matériaux : les lames d'acier sont attachées aux semelles de bois, les lanières sont en cuir et le support de la cheville est fait de nickel et de cuivre.

Les premiers patins à glace, comme celui du haut (de 1500 environ) étaient taillés dans des os d'animaux. Les patins en bois avec lame d'acier ne sont apparus qu'au 17e siècle. Les deux patins du 19e siècle illustrés ci-dessous viennent des Pays-Bas où les Hollandais pratiquent le patin sur les étangs et sur les canaux gelés depuis des centaines d'années.

Cette paire de chaussures de cuir, munies de crampons, a appartenu au sprinter canadien Harry Jerome qui devint le premier, au début des années 60, à détenir des records du monde à la fois du 100 mètres et du 200 mètres sprint.

ÉLEVONS-NOUS!

Bien que les ◄ Philippins portent traditionnellement des sandales à semelle de bois, ce modèle élaboré a probablement été dessiné pour être vendu comme souvenir sur les marchés en 1945 dont la clientèle consistait presque essentiellement en militaires de l'armée américaine.

Cette surprenante sandale a été dessinée par Ferragamo en 1938. Sa semelle est composée de couches de liège recouvertes de daim de différentes couleurs.
►

► Le «must» de la chaussure vénitienne au 16e siècle était la «chopine». Recouverte de velours et laissant les orteils à l'air libre, elle était surélevée de 13 cm (5,1 po.). Il semble que certains plateaux aient pu atteindre la hauteur vertigineuse de 77 cm (30 po.).

Ces chaussures délicatement brodées et surélevées par un pied stylisé étaient portées par les femmes de l'aristocratie Manchoue en Chine à la fin du 19e siècle, forcées de marcher bien droites et ▼ à tout petits pas.

► Issu d'Afrique subsaharienne, ce sabot de bois du début du siècle se fixe à l'aide d'une lanière de cuir travaillé. Le talon ajoute 8,7 cm (3,4 po.) à la taille de celui qui le porte.

LES CHAUSSURES SURÉLEVÉES À PLATEAUX

et les échasses n'ont pas l'air très pratiques et paraissent quelque peu ridicules. Cependant, elles étaient un moyen efficace de marcher, sans se salir, sur des routes peu confortables. Les «kabkabs» ou «nalins» par exemple, sont des échasses en bois utilisées à cette fin pendant des siècles, au Moyen-Orient. Les échasses de l'Empire Ottoman semblent avoir engendré les «chopines», dont les plateaux démesurés atteignent des hauteurs exagérées. Les belles aristocrates de Venise portaient les «chopines» au 16e siècle dans le but unique d'attirer l'attention sur leur statut social. Il est vrai que pour se déplacer, il était nécessaire de se faire aider de ses serviteurs. Une chose est sûre, les chaussures surélevées en général et les «chopines» en particulier, rendent l'histoire de la chaussure plus cocasse et colorée. Les chaussures à plate-forme, appelées cothurnes, furent aussi portées par les acteurs de théâtre classique en Grèce avant d'apparaître sur les scènes d'aujourd'hui, portées par des vedettes du show business. Et, comme toute mode qui se respecte, les chaussures à plateaux reviennent régulièrement tous les 20 ans à peu près.

Ces sandales surélevées, ▲ d'origine indienne, datent du 19e siècle. Elles se portaient pour les cérémonies. Bien que faites de bois, elles ont été recouvertes de décorations d'argent raffinées.

▲ Les «getas» surélevés étaient traditionnellement portés par les geishas japonaises de très haut rang, appelées Oiran. La tradition voulait qu'une Oiran brûle sa paire usée de «getas» et marche dans ses cendres avec sa nouvelle paire.

Ces élégantes échasses en bois incrustées de perles étaient portées par les femmes pour des occasions spéciales, en Turquie et en Syrie. ◄

Cette sandale à plateau ▶ vient de la région du Tarabuco en Bolivie et date du début du 20e siècle. Sa décoration haute en couleurs et exubérante est un fin mélange des cultures européenne et sud-américaine.

La réapparition des chaussures ▲ à plateaux dans les années 70 a mené aux créations les plus excentriques comme cette paire de chaussures américaine en daim.

AU BOUT DE LA POINTE!

LA PARTIE LA PLUS ATTRAYANTE D'UNE CHAUSSURE

est sans aucun doute sa pointe. Même lorsque de longues robes ou des pantalons cachent la majeure partie de la chaussure, la pointe reste toujours visible. L'une des chaussures les plus célèbres est certainement la poulaine, dont le bout pointu pouvait atteindre 45 cm de long (18 po.) ou plus. Cette chaussure fit ravage en Europe il y a six siècles. Les pointes étaient parfois devenues tellement longues qu'il avait souvent fallu attacher l'extrémité à une chaîne ou à une corde pour éviter au détenteur de culbuter! Critiquée par la suite, tant par l'Église que par l'État, la poulaine donna naissance à une mode tout à fait opposée parfois appelée «bec de canard» au bout très large et plat.

Ainsi, la largeur du bout prenait beaucoup d'importance : extrémité pointue, large, arrondie, à coins, orientée vers le haut, voire inexistante. Il est vrai aussi que certaines cultures sont restées fidèles et loyales envers un modèle particulier de pointes de chaussure comme celles recourbées vers le haut, arrivées en Inde par la Perse après avoir été inventées dans l'ancienne Babylone, des siècles auparavant.

▲ Ces deux souliers au «nez en trompette» proviennent d'Angleterre pour celle en soie verte (de 1730 environ) et de France pour celle en chevreau doré (de 1960 environ).

Cette poulaine néerlandaise date d'environ 1450. Les chaussures à bout pointu étaient alors symboles de statut social : selon une loi anglaise de 1363, la pointe d'une chaussure de roturier ne devait pas dépasser 15 cm (6 po.); celle d'un gentleman, 30 cm (12 po.) et celle d'un aristocrate, 60 cm (24 po.).

▶ Le petit bout protecteur en forme de disque placé au bout de cette botte d'Apache (sud-ouest des É.-U.) lui a valu son nom de «cactus kickers» (pour donner des coups de pied aux cactus).

Deux chaussures indiennes à pointes retournées, du 19e siècle : une «khussa» brodée, doublée de velours rouge, repose sous une chaussure de cuir discrètement brodée au bout plus pointu et recourbé. ▶

▼ L'élément le plus marquant de cette chaussure d'homme en cuir est son bout large qui fait penser à des cornes (Inde occidentale, 1879).

En Europe tout comme en Amérique du Nord, au milieu du 19ᵉ siècle, la mode était souvent aux chaussures à pointe carrée comme cette chaussure de soie pour femme (à gauche) et celle en velours pour homme (à droite).

▲ Cette «ghatela» très décorative (en haut, à gauche) du nord de l'Inde (19ᵉ siècle) se portait avec le talon rabattu. À droite, magnifique sabot de bois verni de France qui date également du 19ᵉ siècle.

Le bout pointu de cette chaussure (à droite), sorte de poulaine des années 60, vient d'Angleterre où elle était portée par les jeunes «branchés». La pantoufle «sable» à bout pointu vient de France (de 1800 environ) où le travail compliqué de perles brodées était souvent réalisé par des enfants d'orphelinats.

▶

Le leitmotiv de l'Europe du 16ᵉ siècle était : «plus c'est large, mieux c'est!». C'est ce que semble démontrer cette botte d'armure allemande qui date d'environ 1550.

CHAUSSURES DE RÊVE

DANS LES ANCIENNES CIVILISATIONS, LES chaussures restaient l'apanage des quelques privilégiés. Les plus riches et plus puissants les portaient souvent ornées de bijoux précieux — comme par exemple la paire de bottes retrouvée dans la tombe du roi Tut enterré en 1352 avant J.C. Dans la Rome Antique, Néron et Jules César portaient des sandales ornées d'or ou d'argent. Poppée, la femme de Néron, insista même pour que ses chevaux soient également chaussés d'or! Au fil du temps, les chaussures ont été décorées avec des noeuds, des cloches, des boucles, des diamants, des faux diamants et des sequins. Des techniques décoratives particulières, impliquant le travail d'artisans spécialisés, ont été développées pour donner aux chaussures un cachet particulier. Ces techniques décoratives sont illustrées ici par des souliers issus du monde entier.

Les incrustations de cuir ajoutent ▲ du panache à ces bottes de Tartare qui proviennent de la péninsule de Crimée. Cette technique consiste à incruster des morceaux de cuir dans la partie supérieure de la botte.

Une décoration faite de piquants est la ▼ particularité de nombreuses tribus indiennes d'Amérique du Nord. Les piquants d'hérissons sont d'abord teints, puis applatis et cousus sur le cuir. Ce mocassin de la région des Plaines date de la fin du 19ᵉ siècle et représente un travail dont l'effet a pour but de ressembler au tressage d'un panier d'osier.

▶

L'incrustation de perles se pratique partout. Sur cette paire de pantoufles persanes (de 1850 environ), les fines perles de rivière et de verre créent un motif en forme de paon, signe de longévité et de prospérité en Perse.

▶

Le travail au poinçon est une technique décorative encore à la mode actuellement. Cette chaussure européenne vieille d'environ 300 ans est un exemple frappant du résultat que l'on peut atteindre en perforant le cuir.

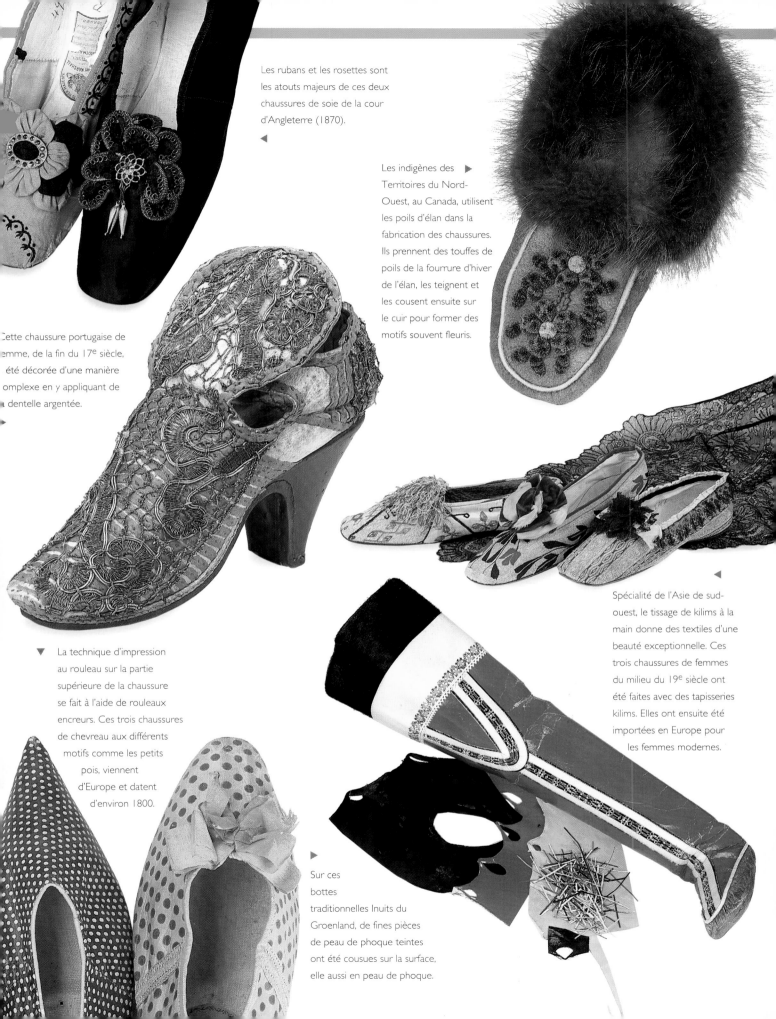

Les rubans et les rosettes sont les atouts majeurs de ces deux chaussures de soie de la cour d'Angleterre (1870).
◀

Les indigènes des ▶ Territoires du Nord-Ouest, au Canada, utilisent les poils d'élan dans la fabrication des chaussures. Ils prennent des touffes de poils de la fourrure d'hiver de l'élan, les teignent et les cousent ensuite sur le cuir pour former des motifs souvent fleuris.

Cette chaussure portugaise de femme, de la fin du 17ᵉ siècle, a été décorée d'une manière complexe en y appliquant de la dentelle argentée.
◀

▼ La technique d'impression au rouleau sur la partie supérieure de la chaussure se fait à l'aide de rouleaux encreurs. Ces trois chaussures de chevreau aux différents motifs comme les petits pois, viennent d'Europe et datent d'environ 1800.

Spécialité de l'Asie de sud-ouest, le tissage de kilims à la main donne des textiles d'une beauté exceptionnelle. Ces trois chaussures de femmes du milieu du 19ᵉ siècle ont été faites avec des tapisseries kilims. Elles ont ensuite été importées en Europe pour les femmes modernes.
◀

▶ Sur ces bottes traditionnelles Inuits du Groenland, de fines pièces de peau de phoque teintes ont été cousues sur la surface, elle aussi en peau de phoque.

MONTREZ VOS JAMBES!

SOULIERS ET BAS VONT DE PAIR! ILS ONT
été inventés pour se protéger du froid mais font désormais
partie des accessoires de mode. Comme pour les
chaussures, les «couvre-jambes» existent en
différentes formes (guêtres, collants, chaussettes,
bas, etc.). Leur histoire est d'ailleurs aussi
vénérable que celle des chaussures. En Europe, il
y a quelques siècles de cela, les bas pour hommes
étaient plus visibles que ceux des femmes. Les
hommes à la mode portaient régulièrement des
collants de couleurs vives sous leurs haut-de-chausses, et ce
n'est qu'à la fin du 19e siècle que les femmes aussi ont
commencé à en porter, bien que pratiquement invisibles
puisque la longueur des robes de l'époque ne laissait rien
entrevoir. Depuis le début de ce siècle, par contre,
l'habillement des jambes est essentiellement devenue
une histoire de femmes, avec l'introduction du
bas nylon dans les années 40 et du collant
dans les années 60.

Durant les années 20, lorsque
les jambes des femmes étaient
mises en évidence, il n'était
pas rare d'apercevoir des bas
excentriques de ce style qui
viennent d'Angleterre.

Ces trois bas de Lisle
brodés, de la fin du 19e siècle,
sont une preuve que l'apparence était
au moins aussi importante que la
fonctionnalité lorsque les femmes ont
commencé à en porter.

En Asie, des
guêtres telles que
celles-ci sont portées
depuis des centaines d'années.
Celle du bas est chinoise,
celle du haut vient du peuple
Aïnou de l'île de Hokkaïdo,
au nord du Japon.

Ces bas du milieu du 18ᵉ siècle sont représentatifs de leur temps pour ce qui est des couleurs frappantes et du motif. Celui de ce bas est appelé «horloge».

▶

Les demi-guêtres pour chaussures, nées au 18ᵉ siècle, étaient portées tant par les femmes que les hommes et les enfants pour protéger leur chaussures. Au début du 20ᵉ siècle, elles sont devenues des accessoires de mode pour gentlemen. Cette paire, boutonnée sur le côté, est anglaise et date des années 20.

Au début du 20ᵉ siècle, les bas pour femme de ce style jouaient souvent à cache-cache sous de longues jupes volumineuses.
▲

Les guêtres (en cuir ou en toile) sont souvent portées avec des mocassins dans les tribus indiennes d'Amérique du Nord. Celles-ci, ornées de perles, viennent de la région des plateaux de l'ouest des États-Unis.

BOTTES À LA MODE

«CES BOTTES SONT FAITES POUR MARCHER»,DI
une chanson populaire américaine. Les bottes illustrées sur ces deux
pages, par contre, ont certes été fabriquées pour marcher mais sont
aussi et surtout des accessoires de mode. Au cours du 19ᵉ siècle, en
Europe et en Amérique du Nord, les bottes sont passées d'attirail
militaire pratique à l'objet stylé porté par les hommes comme les
femmes. Vers 1850, les bottes deviennent la chausse par
excellence de la société anglaise, même de la jeune Reine
Victoria. Beaucoup de ces bottes portent alors des noms
lieux ou de personnages célèbres comme les Wellingto
nommées d'après le réputé commandant britanniq
Plus proche de nous et encore dans la mémoire
la plupart des adultes, rappellons ici la premiè
transformation de botte de travail en botte
mode. Ce fut la botte à hauts talons et
bout pointu des cow-boys, devenue u
«must» pour beaucoup de citadins.

La Balmoral est une botte
à hauteur de la cheville,
qui se lace à l'avant. Elle est
attribuée au fabricant de
bottes de la Reine Victoria
et fut très populaire chez
les hommes, les femmes
et les enfants de
l'Angleterre, du
milieu du 19ᵉ siècle.
▶

L'Adelaïde était une des
bottes pour femmes les plus
populaires du 19ᵉ siècle.
Elle se laçait sur le côté et
fut nommée ainsi d'après
la reine et épouse
de Guillaume IV
(1830-1837).
▼

Les bottes à boutons furent
très à la mode il y a enviro
un siècle. Cette paire en
brocart de la fin des
années 1880 comport
huit boutons d'or sur
chaque languette.
◀

La botte de cow-boy passa en ▼
quelques années du sable des
ranchs au macadam des villes
pour devenir un accessoire
de mode omniprésent.
Celle-ci a appartenu à la
star hollywoodienne
Robert Redford.

Cette paire de bottes vient d'Europe et date du début du siècle. Le chevreau doré et le velours vert attestent que les bottes hautes à boutons ne sont pas forcément quelconques ou sans chic.

Voici un exemple de la mode des années 60 à son apogée : une paire de chaussures pour femmes en cuir blanc, du couturier français Courrèges, en 1964. Les bottes de l'époque étaient de styles variés : à hauteur de cheville, à hauteur de cuisse ou à tendance spatiale.

Bien que cette botte à boutons démesurément longue semble faire l'apologie de l'étrange en matière de stylisme, son origine est parfaitement honorable car produit par le fabricant de chaussures officiel de la famille royale suédoise.

Les bottes en cuir bourgogne étaient portées par un gentleman élégant les années 1890. Selon les canons de la mode de l'époque, les bottes sont très longues et effilées, confirmant qu'elles étaient destinées à plaire plutôt qu'à protéger des intempéries.

À partir du début du 19e siècle, les bottes militaires devinrent à la mode un peu partout en Europe et aux États-Unis. Le modèle Wellington (à droite) vient d'Autriche, 1846; la botte Hessian (à gauche) est américaine et date probablement de 1860.

NEW BOOTS.

BONJOUR LE DESIGN!

AU CHAPITRE DES INVENTIONS DU

20e siècle, on compte évidemment l'avion, la télévision et les ordinateurs; ce fut également l'arrivée des semelles compensées, du talon aiguille et de la chaussure haute sans talon. Au début du siècle, les femmes portaient des robes traînant par terre. En fait, le premier défilé de mode aux États-Unis, en 1915, causa un scandale sans précédent parce que les chevilles et la partie inférieure des jambes de la femme étaient exhibées. Mais en ce qui concerne les chaussures, on retiendra plutôt ce siècle comme celui de l'avènement du design de souliers. Pour la première fois, des fabricants de chaussures ont réellement influencé la mode et des noms tels que Salvatore Ferragamo, André Perugia et Roger Vivier devinrent, dans certains cercles, aussi célèbres que ceux des stars du cinéma. Cette mode du 20e siècle est difficilement classifiable car très élégante par moments ou franchement folle par d'autres. Après tout, le grand couturier italien Ferragamo, qui inventa la semelle compensée, porte à son crédit plus de 20 000 modèles de chaussures et détient plus de 350 brevets!

Cette chaussure deux tons — autant populaire chez les hommes que chez les femmes — passa au 20e siècle de la chaussure de sport à la chaussure de mode. Ce modèle pour femme, de cuir noir et de daim blanc, date des années 20, et est un article de mode pur.

Yantorni est un nom respecté mais plutôt mystérieux dans le milieu de la chaussure. Conservateur du Musée Cluny en France, il fabriquait des chaussures dans son temps libre. Elles étaient très chères, mais il faut savoir qu'il passait parfois plusieurs années sur la même paire. Cette précieuse paire de Yantorni, du début du 20e siècle, est présentée ici avec sa forme originale.

L'expérimentation de nouveaux matériaux dans la fabrication de chaussures devint populaire au 20e siècle. Cette paire de 1958 (ci-dessus) en est un exemple : chaussure en daim dont les talons aiguilles sont pris dans un filet d'argent.

Cette chaussure haute sans talon (de 1960 environ) possède une semelle allongée pour palier au manque de talon. Elle fut fabriquée en France par Preciosa.

Roger Vivier, né à Paris en 1913, est connu pour la forme peu commune de ses talons et pour les décorations exotiques de ses chaussures. Cette paire, ornée de bijoux, a des talons en forme de virgule. C'est un modèle original de Vivier du début des années 60.

◀ «Le choix difficile» est une publicité des chaussures Perugia (1924-1925).

LE CHOIX DIFFICILE
SOULIERS, DE PERUGIA

▶ André Perugia se fit une réputation internationale dans les années 30. Durant sa longue carrière, ce styliste français créa des chaussures de grand luxe ainsi que des souliers fonctionnels. Cette paire de 1938 (ci-dessus) embrasse les deux aspects de sa création.

◀ Salvatore Ferragamo, un des plus célèbres créateurs de chaussures, inventa le talon à semelles compensées, en 1936. Ce style devint très vite populaire. Cette paire de mules en daim rouge avec talons compensés, a été fabriquée en Italie vers le milieu des années 40.

▼ Herbert et Beth Levine, couple américain, connurent le succès de 1948 jusqu'au milieu des années 70. Les chaussures de Levine, comme cette pantoufle de chevreau argenté et de velours (1954) ou ces chaussures en forme de voiture de course (1966), étaient à la fois innovatrices et confortables.

37

L'ÉTAL DES PETITS

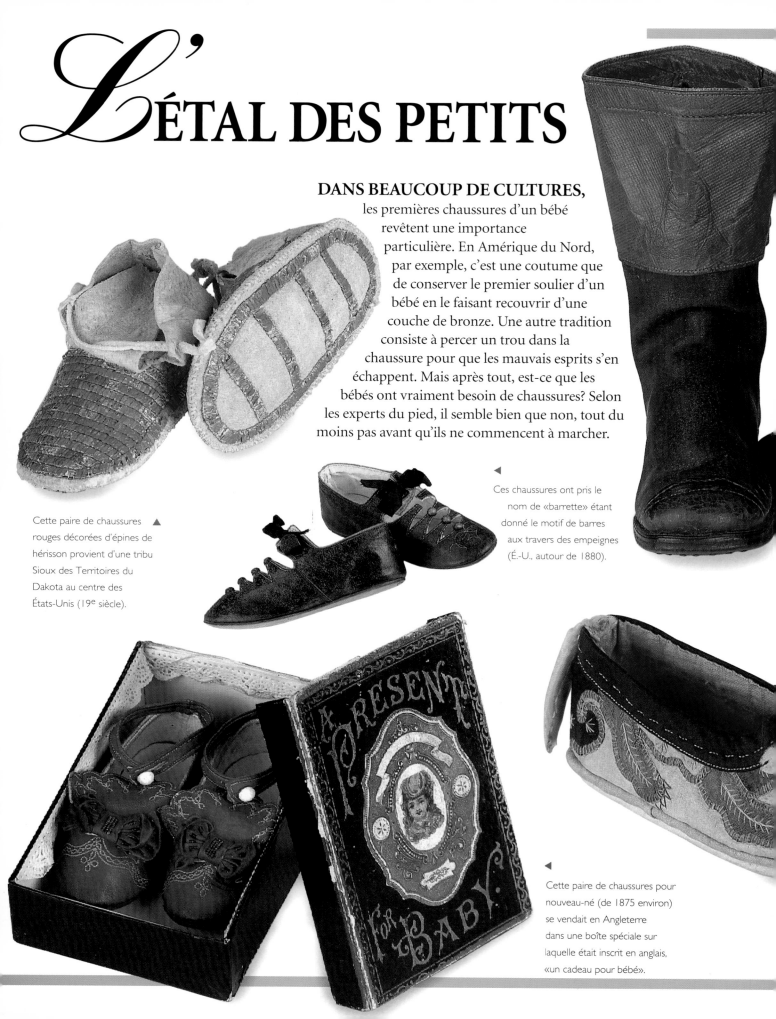

DANS BEAUCOUP DE CULTURES, les premières chaussures d'un bébé revêtent une importance particulière. En Amérique du Nord, par exemple, c'est une coutume que de conserver le premier soulier d'un bébé en le faisant recouvrir d'une couche de bronze. Une autre tradition consiste à percer un trou dans la chaussure pour que les mauvais esprits s'en échappent. Mais après tout, est-ce que les bébés ont vraiment besoin de chaussures? Selon les experts du pied, il semble bien que non, tout du moins pas avant qu'ils ne commencent à marcher.

Cette paire de chaussures ▲ rouges décorées d'épines de hérisson provient d'une tribu Sioux des Territoires du Dakota au centre des États-Unis (19ᵉ siècle).

◄ Ces chaussures ont pris le nom de «barrette» étant donné le motif de barres aux travers des empeignes (É.-U., autour de 1880).

◄ Cette paire de chaussures pour nouveau-né (de 1875 environ) se vendait en Angleterre dans une boîte spéciale sur laquelle était inscrit en anglais, «un cadeau pour bébé».

Dans les années 1840 en Écosse, il était habituel de tricoter des pantoufles pour bébé. ◄

Ces bottes brodées pour enfant aux semelles souples viennent des États-Unis. Elles ont certainement été fabriquées à la main d'après un patron tiré d'une revue féminine de l'époque (environ 1865). ▼

Un jeune garçon sur un ▲ vélocipède — ancienne bicyclette avec une grande et une petite roue — est estampé sur l'immense revers rouge de ces bottes en cuir américaines pour garçon, datant d'environ 1870.

Cette petite paire toute ▲ simple de chaussures en cuir brun (ci-dessus) qui nous vient d'un état du nord-est des États-Unis, porte une inscription sur un pied : «Premières chaussures de C.W. Hamine 1843-1844».

▼ Ces chaussures de soie molletonnée dont les pointes sont en travail de tapisserie à l'aiguille et décorées d'une boucle (milieu du 18e siècle). Cette paire montre bien que la mode enfantine suit souvent celle des adultes.

Ce chausson de tissu coloré a été fabriqué en Chine. Le tigre féroce est supposé protéger l'enfant des mauvais esprits. ◄

39

CHAUSSURES-TRADITION

DEUX DES ÉVÉNEMENTS LES PLUS IMPORTANTS

de la vie — la mariage et la mort — sont des traditions caractérisées par des chaussures spécifiques, quelle que soit son cadre culturel. Jeter de vieilles chaussures derrière la voiture d'un couple de jeunes mariés (ou les attacher à leur engin) est une coutume courante pour leur souhaiter bonne chance. Lors de funérailles, il n'est pas rare que l'on brûle une paire de chaussures du défunt dans l'espoir qu'il puisse ainsi déambuler confortablement dans l'au-delà. S'il est acquis que les chaussures des cérémonies de mariage ou d'enterrement doivent être neuves, les couleurs, en revanche, diffèrent énormément selon les cultures. En Europe et en Amérique du Nord, le blanc est associé au mariage et le noir au deuil. Dans certaines cultures asiatiques cependant, le blanc est la couleur du deuil et en Chine, la couleur du mariage est le rouge. C'est une tradition chinoise également que de jeter la chaussure rouge du mariage sur le toit, la nuit de noces, en signe d'amour et d'harmonie.

▲ Les bottes de mariée de cette femme ont été fabriquées par son fiancé, pratique commune du peuple Zunis au sud-ouest des États-Unis.

▲ Comme dans beaucoup de pays d'Asie, la couleur du deuil en Corée est le blanc. La petite chaussure est en soie pour femme s'appelle «chaussure de funérailles». La plus grande est une chaussure de deuil pour homme, appelée «kajukshin».

Le mariage blanc est une coutume relativement récente en Europe et en Amérique du Nord puisqu'elle n'est apparue qu'au début du 19e siècle. Ces chaussures datent des années 1870.

▲ Lorsqu'un roi meurt, les Ashantis d'Afrique de l'Ouest peignent leurs sandales en noir.

◄ Cette paire de chaussures de mariage pour femme, des années 1880, en velours doré et garnies de semelles intérieures rouges, vient du Détroit de Malacca en Malaisie.

Lors de la cérémonie *shi chi gosan* au Japon, les jeunes filles portent des «getas» laquées qui font partie du costume traditionnel pour aller au temple. ►

C'est le deuil prolongé de la ► Reine Victoria pour son mari Albert, mort en 1861, qui a rendu populaires les chaussures noires comme accessoires de mode, tout spécialement en Grande-Bretagne et en Amérique du Nord. Ces trois chaussures de femme datent du début du 20e siècle.

Ce sabot surélevé, fait de bois ▼ recouvert d'argent et accompagné de la coupe «hamam», était un cadeau de mariage commun en Turquie au début de ce siècle.

Ces chaussures en fils de maïs tressés étaient fabriquées jadis par les Iroquois d'Amérique du Nord pour être portées par le défunt.

$\mathcal{S}$YMBOLE SOCIAL

POUR LA PLUPART D'ENTRE NOUS, LE PORT
de chaussures est chose acquise. Mais dans les cultures où la norme est de marcher pieds nus, le port de chaussures est signe d'un certain statut social. Par exemple chez les Ashantis d'Afrique, il est interdit que les pieds nus des rois touchent le sol. La plupart des cultures ont des chaussures qui représentent un standing particulier. C'est ainsi qu'en France par exemple, sous le règne de Louis XIV (1643-1715), seuls les aristocrates et la cour du roi avaient le droit de porter des souliers à talons rouges. En restreignant ainsi les couleurs ou les matériaux utilisés, la chaussure peut donc devenir un symbole de puissance et de standing.

Fabriquées en forme de Hintha, oiseau mythique sacré, ces chaussures de confection élaborée étaient portées par les princes birmans. La chaussure fermée a été introduite en Birmanie par les Anglais dans les années 1820. Cette paire royale date de la fin du 19e siècle.

► Ces bottes pour homme n'avaient qu'un rôle cérémonial à la cour impériale du Japon (de 1928 environ).

▼ Vieilles de plus de 250 ans, ces mules pour femme nous rappellent qu'au temps de Louis XIV, seuls les aristocrates et la cour du roi pouvaient porter des chaussures à talons rouges.

► Cette toile représente Louis XIV, le Roi Soleil, portant des chaussures à talons rouges.

Les guerriers samouraïs japonais portaient des chaussures spéciales. Elles étaient faites de fourrure d'ours dans l'espoir que la férocité de l'animal serait transmise au guerrier. Cette poupée samouraï date d'environ 1860.

▶ Ces sandales Ashantis n'étaient pas faites pour être portées. En fait, les deux semelles étaient cousues ensemble et elles ne servaient que lors d'une cérémonie royale. Un caméléon — représentant la diplomatie — ornait les lanières ce qui suggère que le roi ne les portait que lorsque sa fonction était essentiellement diplomatique.

Le statut de chef dans la culture Yoruba, au Nigéria, était signalé par le nombre de perles et de motifs sur les bottes. La pureté des perles de verre ainsi que la spécificité des motifs font que ces bottes devaient très probablement appartenir à une personne d'un statut élevé (environ 1900). ▶

L'habit d'officiels coréens de haut rang, au 19ᵉ siècle, comprenait des bottes de cuir noir et un chapeau noir. Cet habit était rangé dans une valise spéciale couverte de papier.

▶ Ces étuis sont ceux d'une momie de l'Égypte ptolémaïque. Leurs peintures attestent clairement le pouvoir. La partie supérieure montre des pieds parés d'or et la partie inférieure, des esclaves.

GRANDS PAS DE L'HISTOIRE

Les restrictions de matériaux conventionnels utilisés pour la fabrication de chaussures, imposées en temps de guerre, ont inspiré quelques innovations surprenantes dont cette chaussure de paille et de daim qui arbore une semelle en bois laqué, décorée de graphiques exotiques.

La forme astucieuse de cette semelle d'un bottillon de l'armée de terre américaine des années 60 permettait au soldat de laisser des empreintes identiques à celles d'une sandale de guerrier Viêt-cong.

MARATHON of HOPE

TERRY FOX

5000 Mile Cross Canada Runner

Cancer Can Be Beat

Canad

Terry Fox était un jeune Canadien qui devint héros international en 1981 grâce à son «Marathon de l'espoir» — une course à travers le Canada pour recueillir des fonds pour la recherche sur le cancer. Ayant perdu presque la totalité de sa jambe droite à cause du cancer, Terry mourut avant même de pouvoir finir sa course. Le «Marathon de l'espoir» est devenu un événement international. Voici la chaussure de course que porta Terry Fox durant son marathon de 1981.

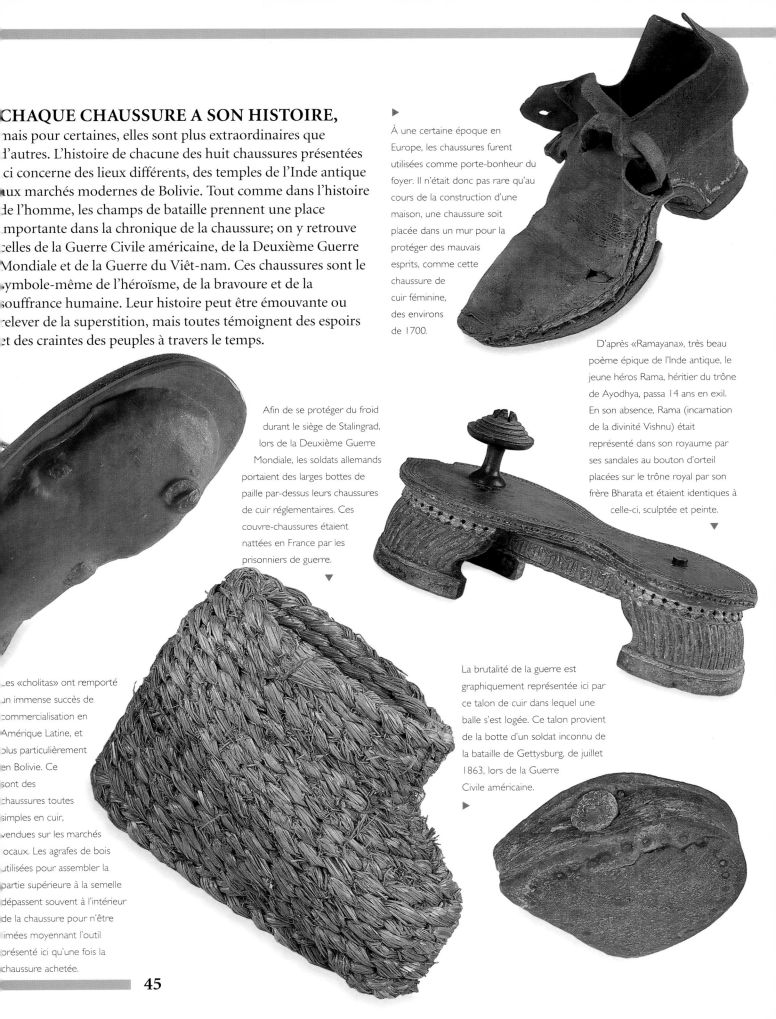

CHAQUE CHAUSSURE A SON HISTOIRE,

mais pour certaines, elles sont plus extraordinaires que d'autres. L'histoire de chacune des huit chaussures présentées ici concerne des lieux différents, des temples de l'Inde antique aux marchés modernes de Bolivie. Tout comme dans l'histoire de l'homme, les champs de bataille prennent une place importante dans la chronique de la chaussure; on y retrouve celles de la Guerre Civile américaine, de la Deuxième Guerre Mondiale et de la Guerre du Viêt-nam. Ces chaussures sont le symbole-même de l'héroïsme, de la bravoure et de la souffrance humaine. Leur histoire peut être émouvante ou relever de la superstition, mais toutes témoignent des espoirs et des craintes des peuples à travers le temps.

À une certaine époque en Europe, les chaussures furent utilisées comme porte-bonheur du foyer. Il n'était donc pas rare qu'au cours de la construction d'une maison, une chaussure soit placée dans un mur pour la protéger des mauvais esprits, comme cette chaussure de cuir féminine, des environs de 1700.

D'après «Ramayana», très beau poème épique de l'Inde antique, le jeune héros Rama, héritier du trône de Ayodhya, passa 14 ans en exil. En son absence, Rama (incarnation de la divinité Vishnu) était représenté dans son royaume par ses sandales au bouton d'orteil placées sur le trône royal par son frère Bharata et étaient identiques à celle-ci, sculptée et peinte.

Afin de se protéger du froid durant le siège de Stalingrad, lors de la Deuxième Guerre Mondiale, les soldats allemands portaient des larges bottes de paille par-dessus leurs chaussures de cuir réglementaires. Ces couvre-chaussures étaient nattées en France par les prisonniers de guerre.

Les «cholitas» ont remporté un immense succès de commercialisation en Amérique Latine, et plus particulièrement en Bolivie. Ce sont des chaussures toutes simples en cuir, vendues sur les marchés locaux. Les agrafes de bois utilisées pour assembler la partie supérieure à la semelle dépassent souvent à l'intérieur de la chaussure pour n'être limées moyennant l'outil présenté ici qu'une fois la chaussure achetée.

La brutalité de la guerre est graphiquement représentée ici par ce talon de cuir dans lequel une balle s'est logée. Ce talon provient de la botte d'un soldat inconnu de la bataille de Gettysburg, de juillet 1863, lors de la Guerre Civile américaine.

CHAUSSURES ET RELIGION

Ces gants de soie et petites chaussures rouges toutes simples ont appartenu au Pape Pie VII, Pontife durant les premières et tumultueuses décennies du 19e siècle. Il fut emprisonné en plein règne par Napoléon.
◄

Selon un rite judaïque, le beau-frère non marié d'une veuve sans enfant est obligé de l'épouser. Mais la veuve peut le libérer de cette obligation en lui retirant publiquement du pied une chaussure rituelle, appelée «halizah». Il est alors libre de se marier avec qui bon lui semble. La «halizah» illustrée ici date d'environ 1900.
▼

Ces sabots laqués noirs, conçus d'après un vieux modèle chinois, furent portés par un moine bouddhiste japonais. Ils sont doublés de soie beige.
▶

Les pratiquants de la foi islamique retirent leurs chaussures avant de pénétrer dans une Mosquée. Les chaussures sont donc conçues pour pouvoir s'enlever très facilement. Cette babouche, à l'arrière replié, vient du Maroc.
▶

À PREMIÈRE VUE, LES CHAUSSURES

...errestres n'ont pas grand chose à voir avec la spiritualité ...ranscendante de la religion mais en y regardant d'un peu ...lus près, on s'aperçoit que la chaussure ...emplit des rôles significatifs dans toutes les ...eligions du monde. Les chaussures portées ...ar les papes par exemple, sont souvent ...rnées de symboles et de motifs en relation ...vec leur position de chef de l'Église ...atholique. Dans certaines religions, les ...haussures sont offertes comme ...acrifices aux dieux. De même, dans ...s religions du chamanisme que l'on ...etrouve en Amérique du Nord et dans les ...ultures nord-asiatiques, les animaux jouent ...n rôle important et les prêtres chamans ...ortent parfois des chaussures fabriquées, ...ittéralement, avec des pattes d'animaux.

Ces sandales miniatures en forme de poisson sont portées lors de cérémonies religieuses hindoues. ▲

Dans l'Hindouisme, l'une des principales religions de l'Inde, la plante des pied des dieux est souvent vénérée. De là, l'origine de cette paire d'icônes métalliques qui représentent les pieds de la divinité Vishnu. ▲

Cette paire de chaussures sioux faite de pattes d'ours (à droite) et ces bottes apaches en daim (à gauche) étaient portées par les chamans nord-américains vers la fin du 19e siècle. ◄

La petite paire de chaussures de paille japonaise est celle d'un homme adulte de taille moyenne. La grande, en revanche, mesure près de 1,8 m (six pieds) et servait à implorer Shinto, déesse de l'agriculture. ◄

BIEN À L'ABRI

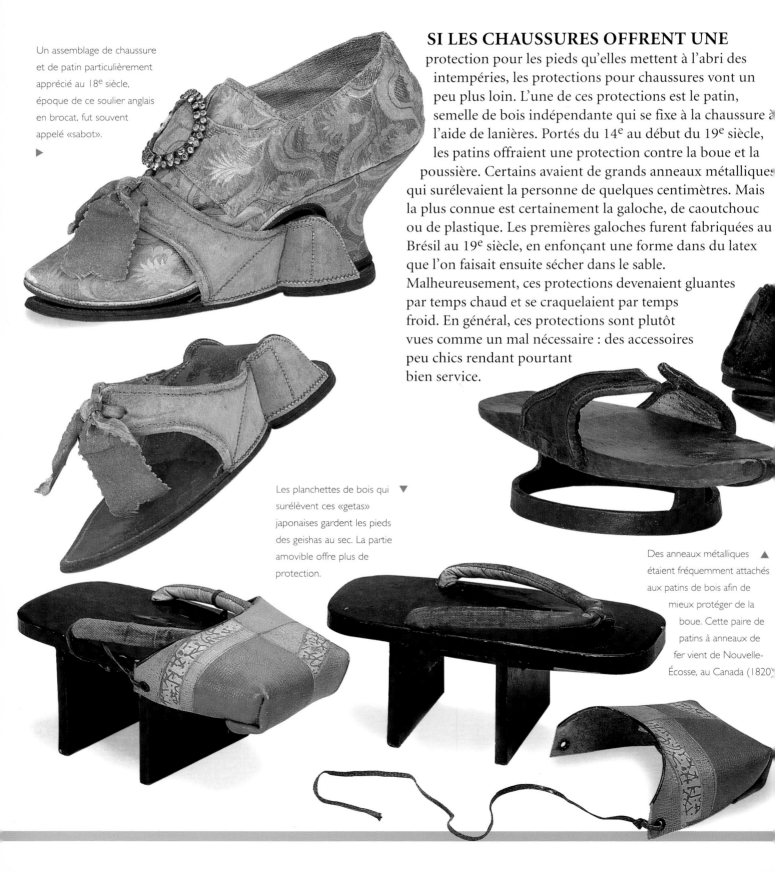

Un assemblage de chaussure et de patin particulièrement apprécié au 18ᵉ siècle, époque de ce soulier anglais en brocat, fut souvent appelé «sabot».
▶

SI LES CHAUSSURES OFFRENT UNE

protection pour les pieds qu'elles mettent à l'abri des intempéries, les protections pour chaussures vont un peu plus loin. L'une de ces protections est le patin, semelle de bois indépendante qui se fixe à la chaussure à l'aide de lanières. Portés du 14ᵉ au début du 19ᵉ siècle, les patins offraient une protection contre la boue et la poussière. Certains avaient de grands anneaux métalliques qui surélevaient la personne de quelques centimètres. Mais la plus connue est certainement la galoche, de caoutchouc ou de plastique. Les premières galoches furent fabriquées au Brésil au 19ᵉ siècle, en enfonçant une forme dans du latex que l'on faisait ensuite sécher dans le sable. Malheureusement, ces protections devenaient gluantes par temps chaud et se craquelaient par temps froid. En général, ces protections sont plutôt vues comme un mal nécessaire : des accessoires peu chics rendant pourtant bien service.

Les planchettes de bois qui ▼ surélèvent ces «getas» japonaises gardent les pieds des geishas au sec. La partie amovible offre plus de protection.

Des anneaux métalliques ▲ étaient fréquemment attachés aux patins de bois afin de mieux protéger de la boue. Cette paire de patins à anneaux de fer vient de Nouvelle-Écosse, au Canada (1820).

Ce modèle de patin de protection, qui date des années 1830, dispose d'une semelle à charnières qui facilite la marche. La partie supérieure en cuir, attachée à l'avant, est prévue pour la protection des orteils.

Une des premières paires de galoches (de 1835 environ) fut fabriquée pour les États-Unis dans l'Amazonie, au Brésil, patrie des arbres à caoutchouc.

Ces protections pour chaussures sont exceptionnelles. Elles sont faites de peau d'eider dont les plumes sont encore attachées. Elles furent conçues par des Inuits de l'île Belcher, dans le Canada arctique, à l'époque où le caribou et le phoque étaient rares. Ces protections étaient portées par les chasseurs de phoques qui passaient parfois de longues heures sur la glace.

Pour le meilleur et pour le pire, la technologie moderne nous envahit de produits en plastique, comme ces protections pour souliers qui datent de la fin des années 50.

LE PIED DE LOTUS

UNE DES COUTUMES LES PLUS ÉTRANGES

des annales de la chaussure est certainement celle du bandage des pieds qui a estropié des milliers de femmes chinoises. Depuis près de mille ans, et jusqu'au début de ce siècle, les jeunes filles chinoises devaient se bander les pieds, ce qui bloquait le processus de croissance naturel et résultait en un pied trop petit et déformé, appelé pied de lotus. Ces pieds bandés étaient particulièrement prisés car ils signalaient aux hommes que la femme ne travaillait pas et faisai[t] donc partie d'une classe supérieure. Ces pieds bandés étaient également considérés comme sexuellement attractifs.

Deux paires de chaussures spécialement conçues pour les pieds bandés. Elles sont faites de soie traditionnelle et de coton de broderie.

Les motifs de rose, de bambou et de narcisse, brodés sur ces chaussures à revers du 19e siècle, sont des symboles de longévité, chance et renouveau.

Le dessus de ces chaussures de satin en bleu foncé et noir est brodé de motifs qui dépeignent une cérémonie. Les talons en brocart bleu clair représentent des grues.

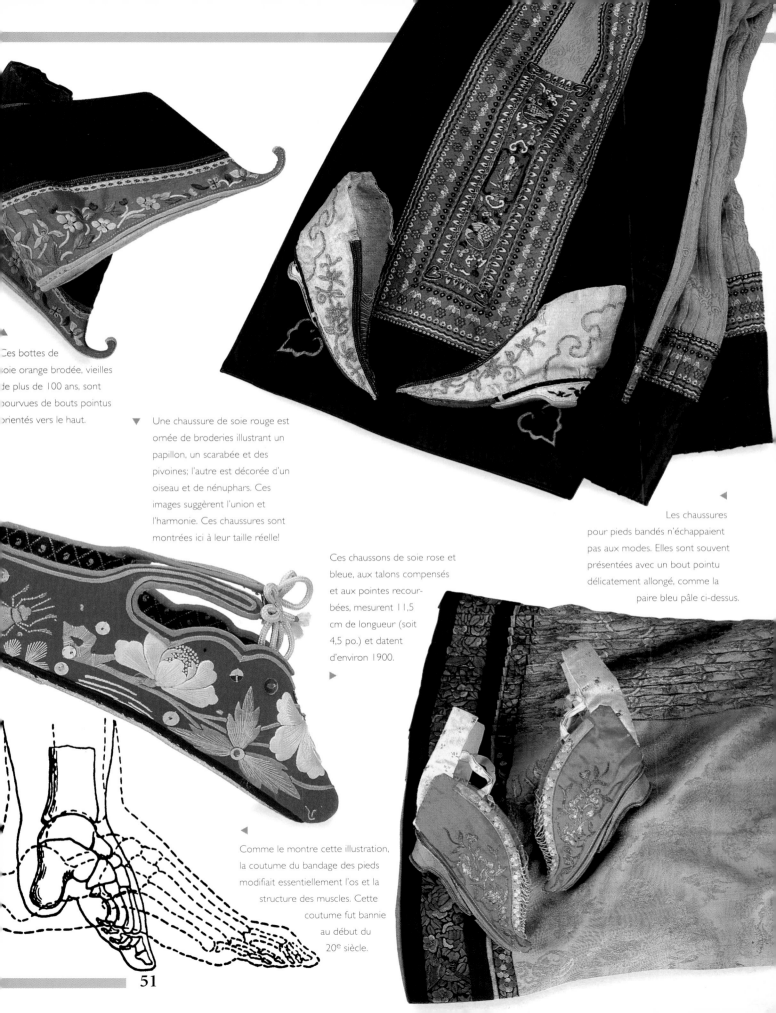

Ces bottes de
soie orange brodée, vieilles
de plus de 100 ans, sont
pourvues de bouts pointus
orientés vers le haut.

▼ Une chaussure de soie rouge est
ornée de broderies illustrant un
papillon, un scarabée et des
pivoines; l'autre est décorée d'un
oiseau et de nénuphars. Ces
images suggèrent l'union et
l'harmonie. Ces chaussures sont
montrées ici à leur taille réelle!

Ces chaussons de soie rose et
bleue, aux talons compensés
et aux pointes recour-
bées, mesurent 11,5
cm de longueur (soit
4,5 po.) et datent
d'environ 1900.
▶

◀
Les chaussures
pour pieds bandés n'échappaient
pas aux modes. Elles sont souvent
présentées avec un bout pointu
délicatement allongé, comme la
paire bleu pâle ci-dessus.

◀
Comme le montre cette illustration,
la coutume du bandage des pieds
modifiait essentiellement l'os et la
structure des muscles. Cette
coutume fut bannie
au début du
20ᵉ siècle.

51

DES VEDETTES…

IL N'EST PAS RARE DE FAIRE PERDURER

le souvenir d'une célébrité en préservant l'empreinte de sa chaussure dans le bitume d'un trottoir. Mais n'est-il pas plus séduisant de collectionner ses chaussures! Qu'ils soient vedettes du rock, artistes reconnus ou monarques impériaux, ces personnalités et leurs accoûtrements intriguent toujours. En fait, ces stars ont souvent une influence déterminante sur la mode. Pat Boone popularisa les chaussures blanches dans les années 50 alors que les Beatles furent responsables de la réapparition des bottes pourvues de bandes élastiques sur le côté. Quelle sensation que de pouvoir admirer une chaussure portée par l'une de ces stars. L'être humain veut se rapprocher des vedettes. Et quel que soit le modèle, la chaussure portée par la star adulée est un des éléments qui le fait s'identifier à elle.

▶

Ces incroyables chaussures surélevées sont celles d'Elton John. Elles faisaient partie de son accoûtrement des années 70. Bien que ces chaussures l'empêchaient de jouer du piano durant ses concerts, elles attiraient le regard et rajoutaient quelque 13 cm (cinq pouces) à sa taille.

Ces sandales de soirée à hauts talons, en chevreau argenté, furent portées au début des années 80 par Elizabeth Taylor, l'une des plus grandes stars du cinéma de tous les temps. Elles furent ◀ dessinées par Halston.

Les bottes de John Lennon, pourvues de bandes élastiques sur le côté, sont tout ce qu'il y a de plus traditionnel. Populairement appelée botte «Beatle», elle provient directement des bottes à bandes élastiques du 19e siècle.

Les accessoires de mode portés par Elvis Presley font presque office de reliques sacrées pour ses fans. Cette paire de chaussures usées en cuir et cette chemise en jersey viennent de la garde-robe du «King» et datent de peu de temps avant sa mort, en 1977. ▶

Léopold II, Roi des Belges, reçut cette ▲ paire de chaussures de bébé pour sa naissance le 9 avril 1835, comme l'atteste la dédicacé inscrite sur le couvercle de la boîte.

◀ La Reine Victoria régna sur la Grande-Bretagne de 1837 à 1901. Voici quelques éléments de sa garde-robe : chaussures plates en satin de couleur ivoire, bas assortis et gants en chevreau de couleur crème.

Ces trois chaussures de soie ▲ thaïlandaise furent fabriquées en France pour la Reine Sirikit de Thaïlande. Ces chaussures ont de hauts talons aiguilles facette très mode vers la fin des années 50.

Pablo Picasso ne pouvait porter des chaussures ordinaires! Celles-ci, imitation zèbre et doublées de mouton, lui ont appartenu une bonne décennie avant sa mort, en 1973.

▶ Winston Churchill (1871-1965), Premier Ministre britannique, se vit remettre cette paire de bottes de Madère durant la Deuxième Guerre Mondiale. Ces bottes robustes étaient un cadeau parfait pour ce grand et robuste personnage.

STAR WEEKLY

CHAUSSURES D'ART

Cette lampe (à droite) et ce support de bol en bronze sont des répliques de sandales que portaient les Romains vers 200 après J.C. ▶

LES CHAUSSURES PEUVENT non seulement être des œuvres d'art mais ont également servi d'inspiration à des œuvres d'art traditionnelles. Des artistes reconnus comme Vincent Van Gogh, René Magritte ou Andy Warhol ont souvent fait de la chaussure le noyau de leurs tableaux. La chaussure a ainsi déclenché une vague de créativité tant chez les artistes que chez les artisans. Dès lors, chacun peut trouver chaussure à son pied et à son art!

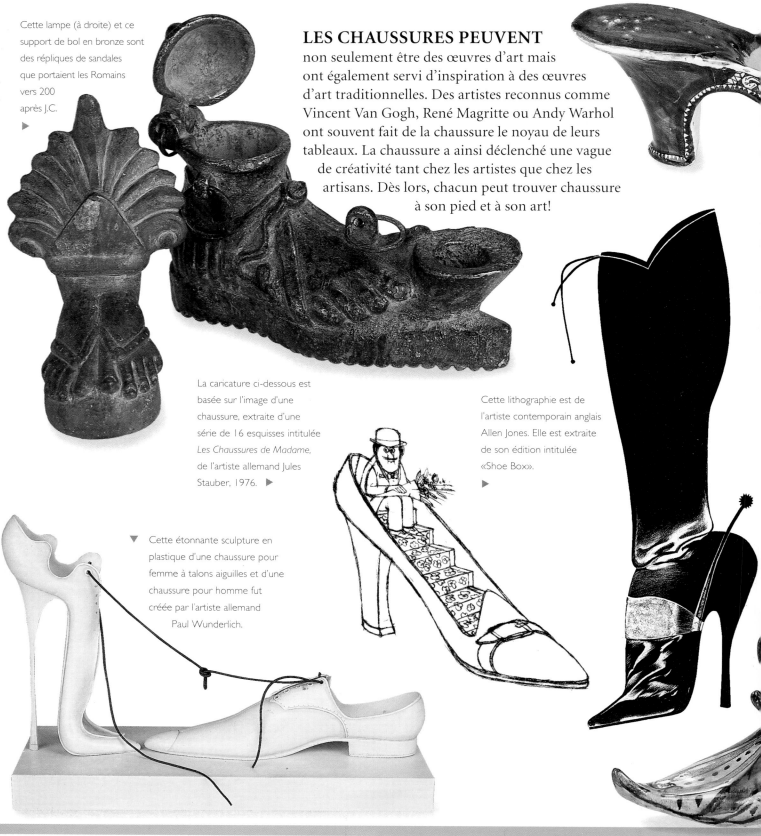

La caricature ci-dessous est basée sur l'image d'une chaussure, extraite d'une série de 16 esquisses intitulée *Les Chaussures de Madame*, de l'artiste allemand Jules Stauber, 1976. ▶

Cette lithographie est de l'artiste contemporain anglais Allen Jones. Elle est extraite de son édition intitulée «Shoe Box». ▶

▼ Cette étonnante sculpture en plastique d'une chaussure pour femme à talons aiguilles et d'une chaussure pour homme fut créée par l'artiste allemand Paul Wunderlich.

L'artiste français Dominique Bordenave se plaît à transformer des chaussures en caricatures comme celle-ci, faite en 1988 à partir d'une vieille botte et représentant un officier français. ▶

▲ Ces mules de Delft datent d'environ 1700. Elles sont faites de porcelaine peinte en bleu et blanc. Ces mêmes décorations ont valu à la ville de Delft, en Hollande, sa renommée internationale depuis le 16ᵉ siècle.

Cette fiole de parfum en porcelaine de la Grèce du 6ᵉ siècle avant J.C. est garnie d'une botte noire. Artémis, déesse grecque de la chasse et protectrice de la femme, était généralement représentée avec des bottes semblables à celles-ci. ▶

Le créateur de chaussures français Victor Guillen sculpta cette chaussure de fantaisie dans un morceau de bois. ▶

La tabatière en forme de ▼ chaussure, taillée dans de l'os, et la boîte d'ivoire à couvercle d'argent en forme de botte, datent de la France du 18ᵉ siècle.

◀ Ces trois chaussures italiennes en majolique ont servi de flacons lors de leur fabrication, il y a 300 ans.

LES ACCESSOIRES

LA PLUPART DES ACCESSOIRES QUE L'ON peut trouver sur une chaussure ont leur utilité, sauf la boucle, qui peut être à la fois fonctionnelle et décorative. Les boucles étaient parfois à la mode, parfois dépassées, mais elles sont restées l'accessoire de chaussure favori. Au 18ᵉ siècle, à l'apogée de leur gloire, elles symbolisaient le standing social : larges boucles d'argent incrustées de pierres précieuses pour les plus riches et simples boucles en métal pour les moins aisés. Lorsque le président américain Thomas Jefferson commença à porter des chaussures à lacets, il y a 200 ans, il fut accusé d'adopter une attitude de dandy français.

Il y a un siècle, le crochet à ▲ boutons était un accessoire indispensable pour les femmes. Ces hautes bottes se fermaient en effet avec plus de facilité grâce au crochet. Certains, comme les modèles présentés ici, étaient de véritables objets d'art.

▼ Cette chaussure de cuir noir pourvue d'une simple boucle métallique était la chaussure de tous les jours de l'Anglais de la fin du 18ᵉ siècle.

▲ Il fut un temps où les femmes européennes à la mode se devaient d'avoir toute une collection de boucles d'argent incrustées de pierres précieuses pour convenir à toute occasion ou à toute soulier.

Ces trois pieds à coulisse du 18ᵉ siècle servaient à mesurer la longueur du pied. Attachée à la barre entaillée, la chaussure est coupée en deux; la partie supérieure glisse le long de la barre pour mesurer le pied.

Ce dessin français, qui date d'environ 1700, montre un fabricant de chaussures utilisant un pied à coulisse pour mesurer le pied de sa cliente.

Ces boucles ovales retiennent les pattes de côté de cette paire de chaussures pour femme (18ᵉ siècle).

Dans cette collection d'anciens chausse-pieds, celui d'ivoire retient particulièrement l'attention. Un message est gravé sur le côté qui se traduit par : «Ceci est un chausse-pied Robart Go To Beds fabriqué par Robart Hendart Mindum Anno Domine 1595».

Une lithographie allemande des années 1880 montre une cliente se faisant servir dans l'atelier d'un cordonnier.

LES OUTILS DE L'ARTISAN

LA FABRICATION DES CHAUSSURES EST
l'une des plus vieilles professions qui soient. Les fabricants de sandales au travail figurent ainsi sur les murs d'anciennes tombes égyptiennes. Certains marteaux, couteaux et autres poinçons sont manifestement utilisés depuis près de 30 siècles. Jusqu'au milieu du 19ᵉ siècle, on ne pouvait se procurer des chaussures que chez le cordonnier. Le procédé de fabrication s'est alors mécanisé et les machines à coudre ont pris la place de l'homme dans l'assemblage des différentes parties de la chaussure.

▲
Ces outils servent à polir le côté de la semelle une fois la chaussure cousue et cirée.

La pièce de gauche est utilisée pour donner une forme à la partie supérieure de la chaussure. Le rôle des pinces à forme (à droite) est de bien serrer le cuir autour de la forme avant de le fixer avec des punaises (au centre).
▶

The Shoemaker

▲ Sur cette lithographie européenne de 1840, on aperçoit deux cordonniers travaillant à une table dans un atelier. Celui de gauche utilise un marteau, celui de droite un poinçon. Deux autres fabricants sont au travail. Celui de dos passe du fil dans les trous du poinçon. Le quatrième lustre le cuir d'une chaussure.

La tenaille est utilisée pour retirer les vieux clous et les détacher des vieilles semelles.
◀

L'outil du haut sert à lisser le bord de la semelle, celui du milieu à lustrer les talons et celui du bas à découper les pièces de cuir qui se trouvent entre la semelle extérieure et la semelle intérieure.
◀

Der Schuhmacher.

Mainz bei Joseph Scho

La tête du marteau a deux utilisations importantes : enfoncer les clous et aplatir les tissus fibreux dans le cuir. L'extrémité opposée permet de retirer des punaises.
▲

Le poinçon est un outil pointu qui a divers rôles. Les poinçons droits (à gauche) percent des trous au travers desquels on passera du fil, et le poinçon courbe sert à assembler le dessus de la chaussure et la semelle. À droite, une protection pour la main du fabricant de chaussures.
▲

Cet outil sert à retirer les rivets de bois ou de fer de la semelle.
◀

Le couteau-lune (à gauche) était un outil utilisé par les fabricants de chaussures jusqu'au milieu du 19e siècle pour couper le cuir. L'autre outil tranchant est une invention beaucoup plus récente qui sert à la finition des bords de la semelle.
◀

59

AU PIED LEVÉ!

TRIVIALITÉS ET FOLKLORE

- Le système de mesure exprimé en «pieds» provient du roi d'Angleterre Édouard II (1284-1327) dont le pied mesurait 36 grains d'orge de longueur. Chacun des grains représentait un tiers de pouce. Une fois additionnés, cela donnait 12 pouces, soit un «pied».
- La fermeture-éclair fut utilisée en premier lieu pour des bottes en caoutchouc, en 1893, longtemps avant d'être employée pour des vêtements.
- Une vieille coutume nord-européenne consistait à enterrer les chaussures d'une personne qui s'était faite foudroyer par un éclair.
- En 1839, Charles Goodyear découvrit, tout à fait par hasard, le procédé de vulcanisation du caoutchouc. L'industrie de la chaussure en caoutchouc connut un immense succès mais son inventeur mourut sans le sou.
- Le cuir d'une vache de taille moyenne peut servir à la fabrication de 18 ballons de football, 144 balles de base-ball ou de 15 à 17 paires de chaussures pour homme.

ANATOMIE D'UN PIED

Le pied humain est «une œuvre d'art et d'ingéniérie fabuleuse», a déclaré Léonard de Vinci, lui-même ingénieur et artiste éminent. La complexité de l'architecture du pied a été cataloguée par un podologue et historien de la chaussure très connu. Il détermina qu'un pied possède 26 os, recouverts de 19 muscles du pied. D'autre part, 13 muscles de la jambe y sont rattachés. Un pied possède également quatre cambrures (deux en longueur et deux en travers), 107 ligaments, plus d'un millier de vaisseaux sanguins et de nerfs, et des centaines de milliers de glandes sudoripares avec leurs pores. Il a réussi à déterminer qu'un pied se plie, s'étend et se contracte environ 300 millions de fois au cours d'une vie, tout en restant tout à fait intact sur le plan fonctionnel.

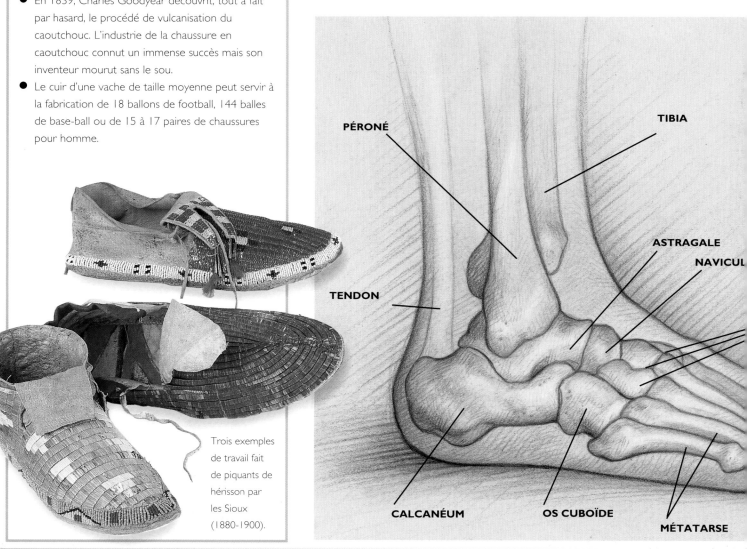

Trois exemples de travail fait de piquants de hérisson par les Sioux (1880-1900).

PÉRONÉ
TIBIA
ASTRAGALE
NAVICUL
TENDON
CALCANÉUM
OS CUBOÏDE
MÉTATARSE

Chaussure de soie anglaise avec talons aiguilles (1950).

PIEDS UNIQUES

Il n'existe pas deux pieds semblables, même chez une seule et même personne. L'un de vos pieds est probablement toujours plus large que l'autre. Les crêtes de la plante des pieds sont également uniques et demeurent identiques toute la vie ce qui signifie que les empreintes des pieds peuvent être utilisées comme moyen d'identification de la même façon que les empreintes digitales. Mais quelques aspects du pied peuvent varier avec les années. Par exemple, un changement de poids ou d'activité peuvent faire varier la pointure de la chaussure, tout comme les bourrelets protecteurs du pied deviennent plus fins avec l'âge.

Les empreintes de pieds parmi les plus remarquables sont certainement celles que l'anthropologue Dr Mary D. Leakey découvrit en Tanzanie dans les années 70. Ces empreintes humaines, les plus anciennes connues à ce jour, datent d'il y a 3,6 millions d'années.

PARLONS PIEDS...

- Le gros orteil a deux os, les quatre autres en ont trois.
- Les 52 os que comportent nos deux pieds représentent $^1/_4$ de tous les os de notre corps.
- Le tendon d'Achille est le tendon le plus fort et le plus large du corps.
- Le pied continue de grandir jusqu'à 20 ans environ.
- Chaque jour, un pied absorbe environ 500 tonnes de pression.
- En moyenne, une personne fait quelque 10 000 pas par jour.
- Durant une année, une personne accomplit près de 3 200 kilomètres (2 000 miles); soit la distance entre Toronto et Mexico City ou entre Paris et Le Caire.
- Au cours de sa vie, une personne effectue l'équivalant de quatre fois et demi le tour du globe.

OS CUNÉIFORME

PHALANGES

QUELLE VANITÉ!

L'obsession des petits pieds ne fait pas seulement partie de l'histoire chinoise. Au nom de la vanité, certaines femmes européennes (certains hommes également) bandaient leurs pieds avant de les glisser dans des chaussures étroites. Mais de petits pieds ne sont pas forcément synonymes de beauté, comme le mentionne un article de 1843 : «Il n'existe pas pratiquement de femme en Angleterre dont les orteils ne soient abîmés, les ongles presque détruits et les doigts de pied superposés». Une récente enquête indique que 80% des femmes américaines portent des chaussures trop petites. Aïe!

DES JAMBES PEINTES

Lorsque les bas nylon furent introduits aux États-Unis durant la Deuxième Guerre Mondiale, ils firent immédiatement sensation. Non seulement ils avaient une durée de vie supérieure à la soie, mais ils étaient aussi nettement moins chers. Toutefois, la demande de matériel durant cette guerre impliqua une rapide pénurie de bas de toutes sortes. On encourageait les femmes à porter des socquettes, mais ce style ne s'imposa jamais vraiment. Désespérées, certaines femmes privées de bas ont alors commencé à se peindre les jambes avec du maquillage pour les yeux afin d'imiter le produit véritable, utilisant le crayon à sourcils pour ajouter la «couture» à l'arrière!.

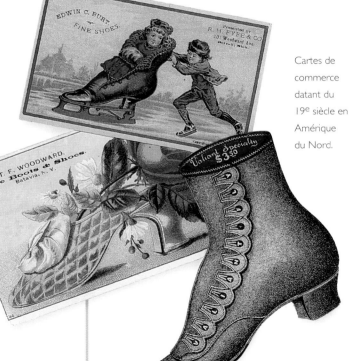

Cartes de commerce datant du 19e siècle en Amérique du Nord.

LA MAGIE DES CHAUSSURES

Les chaussures étoffent nos légendes. Figurant dans les écritures sacrées et mythologies séculaires, elles ont également été, de tous temps, un élément essentiel des contes de fées et des histoires populaires. Le conte de fées le plus connu au monde est probablement celui de Cendrillon et de sa pantoufle mystérieuse. Il existe des dizaines d'interprétations différentes de cette histoire dont une de la Grèce antique. D'autres sont connues en Chine où l'héroïne répond au nom de «Yeh Shen», une autre en Corée («Kongiee») et une au Viêt-nam («Tam»). La version européenne la plus connue a été écrite par Charles Perrault dans «Les contes de Ma Mère l'Oie», en 1697. La version de Perrault a connu une transformation considérable (qui a d'ailleurs servi de base au fameux dessin animé de Walt Disney) avec les escarpins magiques de Cendrillon faits de verre, et non plus de fourrure, comme ce devait être le cas dans les premières versions. Certains spécialistes pensent que les escarpins de «verre» de Cendrillon proviennent d'une mauvaise traduction du terme «vair» qui correspond à de la fourrure blanche.

L'histoire de Cendrillon se perpétue de la même façon que celle des souliers rouge-rubis, beaucoup plus récente, portés par Dorothée dans «Le magicien d'Oz». On retrouve également de fabuleuses chaussures de danse dans le conte de fées «The Twelve Dancing Princesses» écrit au début du 19e siècle par les Frères Grimm, également auteurs du fameux conte sur le cordonnier qui avait échappé à la misère grâce au travail de petits lutins. D'ailleurs, les cordonniers pauvres faisant tout à coup fortune grâce à leur métier est un autre motif folklorique vieux de plusieurs siècles et narré aux quatre coins du globe.

Cependant, les chaussures ne sont pas toujours représentées comme des objets dotés d'un pouvoir positif dans les contes populaires. Prenons l'exemple de l'histoire d'Abu Qasim, héros de contes populaires pakistanais et d'autres pays asiatiques. Les nombreux problèmes dont ce riche mais misérable marchand est victime, proviennent de ses vieilles chaussures déchirées. Il est donc à mille lieues du pouvoir magique attribué aux chaussures dans les légendes, pouvoir qui a été immortalisé par le fameux conte «Le chat botté».

Gravure colorée de Crispin et Crispinian, 18e siècle, Italie.

LE SAINT PATRON DES CORDONNIERS

Il était une fois deux frères jumeaux, Crispin et Crispinian, qui vivaient à Rome à peu près en 350 après Jésus-Christ. Ils échappèrent aux persécutions religieuses en fuyant vers la France où ils fabriquèrent des chaussures pendant un temps jusqu'à être décapités par le gouverneur du territoire pour avoir prêché le christianisme. Au fil du temps, Crispin fut considéré comme le saint patron des fabricants de chaussures. C'est du moins une version de la légende car il ne fut jamais officiellement canonisé par l'Église Catholique. C'est ainsi que le 25 octobre, jour de la Saint Crispin, fut jadis célébré en Europe comme jour férié pour les cordonniers.

Le «Chat Botté» en puzzle.

Chaussures brodées, appelées «caméléon», 19e siècle, France.

L'ANATOMIE D'UNE CHAUSSURE

Les chaussures comportent principalement deux parties : une partie supérieure qui recouvre le dessus du pied et une partie inférieure qui enveloppe le dessous du pied. Ci-dessous, quelques détails d'une chaussure moderne :

Lithographie française représentant une artisane cousant une botte, début du 19e siècle.

DOUBLURE Doublure de la partie arrière intérieure de la chaussure.

PATTE Extension de l'empeigne en dessous des lacets.

EMPEIGNE Partie avant supérieure attachée à la semelle.

NFORT Pièce ...cousue à ...ère entre la ...e supérieure ...rieure et ...oublure.

RT Partie ...couvre les ...et l'arrière ...chaussure.

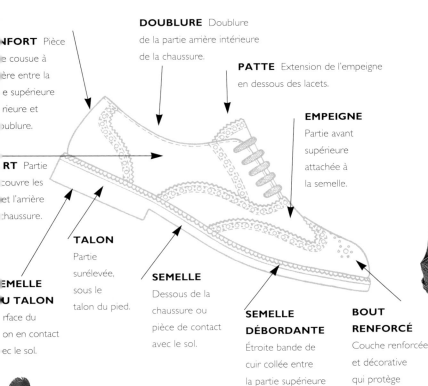

TALON Partie surélevée, sous le talon du pied.

SEMELLE Dessous de la chaussure ou pièce de contact avec le sol.

SEMELLE DÉBORDANTE Étroite bande de cuir collée entre la partie supérieure et la semelle.

BOUT RENFORCÉ Couche renforcée et décorative qui protège la pointe du soulier.

EMELLE U TALON ...rface du ...on en contact ...ec le sol.

NOBLESSE OBLIGE

Marie Antoinette, reine de France, fut guillotinée en 1793. L'histoire raconte qu'elle avait un serviteur dont la seule occupation était de surveiller les 500 paires de chaussures de sa collection. Lorsque Napoléon Bonaparte devint empereur de France peu de temps après, il exigea également un traitement spécial pour ses chaussures : avant de porter de nouvelles bottes, il exigeait qu'un serviteur les utilise jusqu'à ce qu'elles soient suffisamment assouplies.

LES SOINS DE BASE

On raconte que le fameux dandy Beau Brummel astiquait ses bottes avec du champagne et des œufs; les soldats, eux, sont connus pour les faire reluire avec du crachat. Mais l'approche la plus pratique est la suivante :

- les nettoyer souvent;
- cirer le cuir régulièrement pour maintenir la couleur et la souplesse;
- si les chaussures sont mouillées, les laisser sécher à l'air ambiant et placer des boules de papier journal au bout afin de garder la forme et absorber l'humidité;
- utiliser des formes pour garder l'apparence et prolonger la vie des chaussures en cuir.

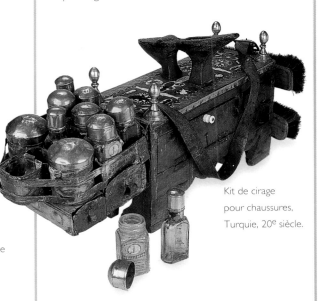

Kit de cirage pour chaussures, Turquie, 20e siècle.

LES POINTURES STANDARDS

Il n'existe aucun standard international en matière de pointures. En effet, au moins quatre systèmes de mesure sont utilisés; l'anglais, le français, l'américain et le japonais. Par exemple, une taille 8 en mesure anglaise correspond à une taille 42 en France et à une taille 9 aux États-Unis.

LES VERTUS CURATIVES DE LA CHAUSSURE

- Pour faire passer un mal de tête, les anciens Égyptiens brûlaient une sandale et en aspiraient la fumée.
- Du temps de l'Amérique coloniale, on conseillait de s'allonger, une paire de bottes sur l'abdomen, pour atténuer un mal d'estomac.
- Diverses peuplades portaient des talismans en forme de chaussure en guise de protection.

ℒE PLAISIR DES CHAUSSURES

Cette photographie, intitulée «Les premiers souliers neufs de Werfel», est parue dans l'une des publications du magazine «Life» en 1946. Werfel, petit orphelin autrichien âgé de six ans, vient de recevoir sa première paire de souliers neufs. Ils lui ont été remis par la Croix Rouge américaine dans le cadre d'une campagne d'assistance d'après-guerre. Nos chaussures font partie de toutes les occasions de la vie pour marcher, travailler, jouer, voyager... et faire la fête!

Nous tenons à remercier tout particulièrement la Fondation du Musée Bata de la chaussure pour son aide experte et ses conseils. Toutes les chaussures représentées ici proviennent de la collection du Musée Bata de la chaussure de Toronto, Canada.

Consultation création **Zaxis Publishing Inc.**
Édition **Jack Alexander McIver**
Direction artistique **Kelly Michele de Regt**
Rédaction **Winston Collins**
Photographie **Brian Hillier**
Direction édition **Peggy McKee**
Coordination production **Brian Rochford**
Direction projet (Bata) **David Bowden**
Gestion projet **Carmen Martínez**
Liaison Musée **Jonathan Walford**
Consultation **John E. Vollmer**

REMERCIEMENTS

Les éditeurs tiennent à remercier vivement les personnes et organismes suivants pour leur précieuse aide : Dunlop Sport; Tana Canada Inc.; Le Ballet National du Canada; The Museum for Textiles, Toronto, Canada. L'illustration p. 20 apparaît avec la permission de la galerie Walters Art de Baltimore, Maryland (É.-U.). Le croquis p. 12 est reproduit avec la permission de Arctic Co-operatives Limited, Winnipeg (Canada). L'illustration p. 60 et 61 est de Karen Visser. La photographie de Werfel (ci-contre) apparaît avec la gracieuse permission de la Croix Rouge américaine.